불량 며느리 효부 프로젝트

고부만사성

말그미 글 · 나미녀 그림

고부만사성

발행 ┃ 2024년 5월 7일

저자 ┃ 말그미 글 나미니 그림

펴낸이 ┃ 한건희

펴낸곳 ┃ 주식회사 부크크

출판사등록 ┃ 2014.07.15.(제 2014-16호)

주소 ┃ 서울특별시 금천구 가산디지털1로 119 SK트윈타워 A동 305호

전화 ┃ 1670-8316

이메일 ┃ info@bookk.co.kr

ISBN ┃ 979-11-410-8397-7

www.bookk.co.kr

姑娘萬事成
고　부　만　사　성

들어가는 말

"고부만사성? 그게 뭐예요?"하고 물으실 분들이 계실 거예요. 집안이 화목해야 만사가 다 이뤄진다는 '가화만사성'을 살짝 비틀어서 '고부가 잘 지내면 모든 일이 잘 이루어진다'는 뜻으로 제가 만들어 낸 단어랍니다.

초고령화 사회로 진입한 한국에서 노년층 세대를 어떻게 아우를 것인지 의견들이 많은데요, 제 개인적인 생각으로는 서로 간에 이해와 배려가 전제된다면 예전의 대가족처럼 부모님을 모시고 사는 것도 좋은 대안이 되지 않을까 합니다. 제가 20년 가까이 어머님과 한 지붕 아래서 지지고 볶고 살아오며 겪고 느낀 일들이 그런 가능성을 좀 더 키우는 징검다리 역할을 하면 좋겠습니다.

결혼 25년차인 제가 19년간 시어머님과 함께 살고 있다고 하면 다들 대단하다고들 하십니다. 막상 그 속을 들여다보면 전혀 대단하지 않은데도요. 저에겐 더없이 평범한 생활이 다른 이들에게 대단하게 느껴지는 건 아마도 요즘 고부가 한집에 사는 경우가 많지 않기 때문이겠죠.

스스로 '불량며느리'라 외치는 제가 어머님과 살면서 있었던 일들을 주절주절 풀어나가는 이야길 읽다 보면 시어머님이 그리 어렵고 불편한 존재가 아니란 사실을 아시게 될 거예요. 때로는 여우처럼 때로는 곰처럼 시어머니를 대하는 며느리를 흥미롭게 지켜봐주세요. 책 속에 곁들인 삽화는 딸이 제가 쓴 글 고부만사성을 읽고, 내용에 맞춰 직접 그렸답니다.

때로는 여우처럼 때로는 곰처럼 시어머님과 살아가는 '여우곰' 불량며느리의 이야기를 이제 시작합니다.

2024년 아카시향 은은한 봄에 말그미

목차

들어가는 말

1장 시금치의 '시'짜도 싫다고?

2장 수다는 즐거워

3장 라떼는 말이야~

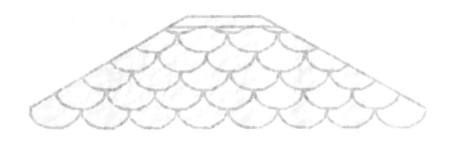

1장
시금치의 '시'짜도
싫다고?

늙은 여자 젊은 여자

– 불효자 남편이 좋은 이유

오늘 아침밥 먹으며 어머님과 '인간극장'을 보다가 이번 주 주인공 남자 나이가 몇 살쯤 돼 보이냐는 것으로 어머님과 의견이 갈려서 각자 서로의 주장을 펼치는 가운데 목소리톤이 좀 높아졌나 보다. 출근 준비하느라 서두르던 남편이 주방으로 쪼르르 달려와선 이런다.

"싸워라~ 싸워라~!!!"

"허참 이 남자가 고부간에 진짜 싸우는 꼴을 못 봐서

속 편한 소리 하고 있네~"

– 이건 내 말

"야야~ 너는 우리가 사이좋은 고부지간인 거

감사해야 한다. 어떤 집은 고부간에 하도 싸워서, 남자가

법륜스님한테 와서 어떻게 해야 하냐고 고민 상담하더라."

– 이건 울 어머님 말씀

어머님과 나의 십자포화를 받고 장렬히 전사(?)한 남편은

"난 한마디 했을 뿐인데... 깨갱~ ㅠㅠ"

하고선 부리나케 출근했다.

여전히 이어지는 인간극장을 배경음악으로 깔고

어머님과의 대화는 다시 이어진다.

"그래서 법륜 스님이 뭐라고 하셨대요? "

"뭐라긴, 늙은 여자하고 젊은 여자하고 둘 사이에 끼겨서 힘들 땐 무조건 젊은 여자 편들라고 하더라. 젊은 여자랑 더 오래 살 거니까. 그라고 지나가는 사람 아무나 붙잡고 물어봐라, 늙은 거를 누가 좋아하는지~ 젊은 게 더 좋지! 그러더라~ ㅎㅎㅎ"

"에이~ 그건 너무 하셨네. 곧 돌아가실지 모르는

늙은 여자를 더 위해야지."

"누가 빨리 죽을지 안대니? 세상에 오는 순서는 있어도 가는 순서는 없단다! 암튼 요새 시어머니들은 생각 잘 해야 돼. 아들이 결혼한 순간, 저 애는 내 아들이 아니라 내 며느리의 남편이다~ 이렇게 생각해야 한다니까."

늘 이런 말씀으로 시어머니로서의 권리는 땅에 내려놓으시면서도, 의무라 여겨지는 일은 다 하시는 어머님 덕분에 난 시집살이를 못 느끼고 살아왔다. 남들은 15년째 홀시어머니 모시고 산다 그러면 엄청 고생한다며 안쓰럽게 쳐다보시는데,

사실 내가 생각하기엔 우리 어머님께서 며느리살이를 하시지 않나 싶어 죄송할 때가 많다.

무엇보다 남편이 대단한 효자가 아니어서 감사하다. 효자 남편을 두면 며느리가 아무리 시모 봉양을 잘한다고 해도 이래 저래 책잡힐 일만 생기고, 아무리 잘해도 티도 안 나는데, 내놓고 "난 불효자야~" 하며 그냥 대충 잘하고 사는 남편 덕분에 내가 조금만 시어머님께 잘 해드려도 빛을 보는 듯하다. 그러니 남편에게 고마워해야 하나? 헛갈리네~ 거참^^;

결벽증 시어머니와 사는 법

– 깔끔며느리 대환영! 그러나...

고백하자면 난 결벽증과는 담쌓은 사람이다. 우리 어머님은 이런 면에선 나와 정반대시다. 2006년 3월 합가를 하면서 대전에 내려오신 어머님은 10년간 쭉 해오시던 산악회 등산을 위해 매주 토요일 새벽이면 서울로 올라가시곤 했다.

처음 몇 번은 새벽에 아침 진지를 차려드렸는데, 알아서 할 테니 신경 쓰지 말라고 하시면서 직접 차려 드시고 가셨다. 희한한 건, 분명 아침을 드시고 가셨음에도 주방에 그 흔적이 남아 있지 않다는 것이었다. 이순신 장군이 노량해전에서 유탄을 맞아 돌아가시며 적에게 나의 죽음을 알리지 말라고 했던 것처럼 우리 어머님은 '가족에게 내가 먹은 흔적을 알리지 말라'가 생활화되셨다. 아침을 드시고 나면 설거지는 물론 설거지한 그릇의 물기를 마른 행주로 닦아서 없앤 뒤 그릇장에 넣어두고, 싱크대의 물기도 다 닦아서 뽀송뽀송하게 해 놓으신다.

그러니 어머님 나가신 뒤에 아침을 준비하려고 부엌에 나가 보면 '도대체 뭘 드신 걸까? '싶게 아무 흔적이 없는 거다.

이거 하나만 봐도 어머님만의 깔끔한 성격과 며느리에게 티 내고 싶지 않으신 성정이 그대로 드러난다. 미니멀라이프가 오래전부터 습관화되신 어머님은 짬만 나면 갖고 계신 물건들을 수시로 솎아내서 버리신다. 하다못해 앨범의 사진까지 다 뜯어내서 앨범은 앨범대로 사진은 사진대로 다 찢어서 버리신 적도 있다. 어느 날 우연히 쓰레기봉투에 찢어져 버려진 사진을 보고 놀라서

"무슨 일 있으세요? 왜 사진을 다 찢어버리셨어요? "

했더니

"옛날 사진 둬서 뭐하냐 짐만 되는 걸. 앨범이 쓸데없이 자리 차지하길래 버릴라고 본께 사진은 떼고 버리려다 내친김에 다 버렸다."

이러신다.

난 절대 옛날 사진 못 버리는데 뭘 버리는 데 있어선 어머님을 따라갈 수가 없다. 사진뿐이랴? 짐 된다고 그간 받아오신 상장, 트로피, 감사패까지 다 버리셨다. 멀쩡한 이불, 옷, 그릇, 대야, 장식용 소품들까지 어머님 손에서 비운의 운명을

맞이한 것들이 많다. 언제 갑자기 무슨 일이 생기더라도 뒤에 구질구질한 흔적을 남기고 싶어 하지 않는 어머님이시다.

2년 전 유난한 결벽증으로 시집을 초토화시킨 새언니 이야기가 인터넷에서 히트를 친 적이 있다. 필명 '카라'인 자신의 블로그에 연재하다 너무 재미나서 조회수가 폭발하자 〈결벽증 새언니〉라는 책까지 나왔다. 어머님께 그 책 1편의 한 대목을 들려 드렸더니 너무너무 좋아하시는 거였다. 책에서 제일 재밌게 읽은 부분을 한달음에 읽어드리니 박장대소를 하시며,

"아이고~ 나도 그렇게 살았으믄 원이 없겠다."

그러신다.

"어째 어머님 취향이실 거 같더라니~

이 책 한 번 읽어보실래요? "

하고 드렸더니 몇 시간 만에 후딱 읽으셨다. 눈이 안 좋아 책 읽는 거 힘드시단 분이^^;; 책 돌려주시며 하신 말씀.

"나는 이런 며느리 대환영이다~

세상 깔끔하니 마음에 딱 드는고만!"

불행히도 난 그런 며느리가 아니다. 결벽증 새언니 같은 사람이 어머님의 며느리였음 더 좋으셨겠지만... 어쩌랴~ 우리의 운명이 이런 것을.

다행히 어머님은 당신의 깔끔함을 나에게 강요하시거나, 은근 눈치라도 내비치며 스트레스 주시지 않는다. 어머님 영역 빼곤 그냥 다 내려놓으신 것 같다. 간혹 정 눈에 거슬리시면 나 없을 때 뚝딱 해치우신다.

나는 그저 나중에 깨끗하게 치워진 것을 발견하고는 호들갑 떨며 어머님 덕분에 엄청 깨끗해졌다고 감사인사를 연발하면 된다. 그럼 어머님은 '나 아니면 이 집구석이 깨끗하게 유지가 되겠냐?' 하시는 표정으로 내심 뿌듯해하신다.

결벽증 시어머니와 사는 방법이다.^^

우리는 환상의 콤비

-고부도 궁합이 맞아야~

어머님과 나는 많은 면에서 서로에게 부족한 면, 혹은 없는 면을 채워주는 찰떡궁합이다. 뭘 버리지 못하고 쌓아두는 나는 집안 여기저기 수십 년 된 물건들이 자리를 차지하도록 내버려두는가 하면, 깔끔한 어머님은 멀쩡한 거라도 쓸 일이 없다 싶으시면 후딱 갖다 버리는 성격이시다. 그래서 내가 못 버리고 있는 물건들이 우리 가족의 삶을 위협(?)할 때면 나도 모르는 새 어머님에 의해 쥐도 새도 모르게 버려지곤 한다. 내가 모르고 지나가면 그냥 영영 빠이빠이지만 만의 하나 내가 재활용 통에 버려진 물건을 보게 되면 바로 또 제자리에 갖다 놓거나, 어머님 눈에 안 띄는 곳에 고이 모셔둔다.

텃밭에 가서 열심히 농사지은 작물들을 집으로 가져오는 건 내 몫이지만, 그걸 잘 다듬고 갈무리해주시는 건 늘 어머님이시다. 고구마 줄기의 경우 껍질을 벗기지 않으면 질겨서 먹기 힘들기 때문에 껍질을 벗겨야 하는데 그게 또 일이다. 난 고구마 줄기만 뜯어서 집에 갖다 두면 어머님께서 부지런히 껍질을 벗겨 주신다. 때론 직접 나물까지 만들어주시기도 한다. 그런 날은 완전 계 탄 날이다! 어머님 음식 솜씨가 워낙 좋기 때문에 같은 나물을 해도 어머님표 나물은 정말이지 맛나다.

어딘가로 물건을 사러 가면, 어머님은 딱 봐서 제일 무거워 보이는 짐을 하나 딱 드시곤 "나머지는 니가 들어라~!" 하신다. 나머지 다 합쳐봐야 어머님 하나 드신 것보다 가벼우니, 괜찮다고 그것 제가 들겠다고 해도 꼭꼭 들고 가신다. 며칠 전에도 텃밭에서 쓰일 괭이랑 호미, 모종삽을 대량 구매하게 되었는데, 짐이 많다며 하나 들어주시겠다고 집어 드신 게 제일 무거운 괭이 네 자루!
"어머님~ 남들이 보면 욕해요. 젊은 며느리는 가벼운 거 쏠랑쏠랑 들고 가고, 늙은 시어머니한테 무거운 거 들게 한다고~" 그렇게 말씀드리며 내가 짐을 가져가려 해도 막무가내셨다.

작년에 오른쪽 어깨 힘줄이 세 군데나 끊어져서 오른쪽 어깨 수술을 하신 뒤로 한동안은 무거운 건 절대 안 들겠다며 의식적으로 노력하시는 듯하더니, 어느 정도 시간이 지나니까 평생 해오시던 예전 버릇이 슬금슬금 나오신다. 이런 상황에서 굳이 무거운 짐을 들겠다고 하시니 대략 난감. 이럴 때 보

면 환상의 콤비는 아닌가? ^^;;

작년부터 조금씩 아파오던 어머님의 왼쪽 어깨가 이제 그 통증을 참기엔 너무 심해져서 어젠 어깨 수술 하시면서 쭉 다니던 어깨 전문 정형외과에 모시고 갔다. 정밀검사 한 뒤 빨리 수술 날짜를 잡으려고. 그런데 검사 결과 다행히도 수술보단 스트레칭과 주사만으로 훨씬 더 나아질 수 있다고 하여, 수술 안 해서 천만다행이라며 주사만 맞고 나오셨다.

   앞으론 제발 무거운 거 드시지 말라고 어머님께 단단히 말씀 드렸지만 과연 잘 지키시려나~~~?

거꾸로 집안

- 스뎅 냄비 버려? 말어?

"이제 버려 버리자~"

"웬 걸요? 한참 더 쓰겠는데요"

"아따~ 삼십 년 넘게 썼응께 본전은 뽑았다.

그냥 버려부러라!"

"김치 지질 때 이 냄비가 딱인디요? "

"내가 새 걸로 하나 사다 주께. 이제 버릴 때도 되았다.

냄비장사도 밥 먹고 살아야지~~"

"멀쩡한 걸 버리고 왜 새로 사요? 그게 다 지구환경에 안

좋은 거예요. 쓸 수 있는 데까지는 고쳐가며 잘 써야죠~"

"어이구~ 너 알아서 해라. 니 살림이지, 내 살림이냐!"

묵은지와 돼지고기를 같이 넣고 지진 스테인레스 냄비 손잡
이가 흔들흔들하길래 차후 거취를 두고 어머님과 내가 벌인
설전이다. 흔들리는 손잡이는 십자드라이버로 나사를 좀 조이
면 금세 해결될 것 같아서 난 더 쓰겠다고 완강히 주장했고,

어머님은 버리고 새로 사주시겠다고 하는 걸....

　이번에도 내가 이겼다. 아싸~^^V

　보통의 집 같으면 며느리는 버리겠다 하고, 시어머니는 못 버리게 할 텐데 우리 집 풍경은 거꾸로다. 심지어 수시로 옷정리 하시는 어머님께서 더 이상 안 입으시는 옷들 버리려고 내놓으신 게 눈에 띄면 냉큼 가져다 입곤 해서, 이젠 버리시기 전에 이 가운데 입을 만한 거 있으면 추려내고 버리라고 나에게 인계해 주신다. 늘 손빨래를 하시고 사후관리에 철저하시기 때문에 둘째 아가씨 말에 따르면 어머님 손에 들어온 옷은 매장에 걸려있을 때보다 더 새 옷처럼 보인다고 한다. 동감이다.

　그럼 오늘 집구석 안착에 성공한 이 스뎅냄비로 말할 것 같으면 어떤 역사가 있느냐?

　어머님께서 30년 전 당신 생신에 그간 수고했다고, 사니라 애썼다고, 이 정도는 받을 자격 있다며 스스로에게 선물하신 냄비이다. 예전엔 냄비가 귀해서 보통 한두 개로 온갖 요리를 다 할 때라, 쓸만한 냄비 장만하는 것도 큰맘 먹어야 가능한 것이었단다. 그런데 이 냄비가 좋아 보이셔서 당신 자신에게 생일선물을 하실 만큼 의미가 깊은 물건이었던 것이다. 그러니 쉽게 버릴 수 없는 물건임을 내가 안다.

게다가 이 스뎅냄비는 두꺼운 바닥을 장착하고 있어서 졸이는 요리를 할 때 특히 진가를 발휘한다. 음식을 오래오래 졸여도 잘 눌어붙지 않아 묵은지조림, 생선조림, 호박조림 등을 할 때면 꼭 꺼내어 쓰곤 한다. 그냥 고기만 넣어서 구울 때도 요긴하다. 절대 기름이 튀지 않고 연기도 나지 않는 특제 고기구이 전용팬을 몇 년 전 어느 행사장에서 어머님께서 사오시기 전엔 주로 여기에 고기를 구워 먹었다. 뚜껑이 있어서 기름이 튀지 않고, 자주 뒤집어주지 않아도 잘 익으니까 일일이 굽는 것보다 세상 편했다. 지금도 고기굽기 전용팬을 꺼내기 귀찮으면 여기에다 고기를 굽는다.

더 이상 쓸 일 없다 여겨지는 것들이면 지체 없이 버리기를 생활화하신 어머님도 아파트 재활용쓰레기 버리는 날 나가셨다가 멀쩡한 냄비가 눈에 띄면 쓸만한지 살피시곤 주워오신다. 심지어 독일제 꽤 유명한 냄비도 들고 오신 적이 있다. 요리하다 태워 먹어서 바닥이 좀 그을린 채 나온 걸 살림경력 60년이 넘으신 어머님께서 놀라운 닦기신공을 발휘하여 번쩍번쩍 빛이 나는 새 냄비로 둔갑시키셨다.

"봐라~ 완전 새것 같지야? 이렇게 좋은 냄비를 닦기 싫어서 홀랑 버리냐? "

(이 부분에서 잠깐! 한 지인의 전언에 따르면, 닦기 싫어서가 아니라 닦을 줄 몰라서 어쩔 수 없이 눈물을 머금고 탄 냄비를 버리며 스스로를 자책했다고 한다. 그러니 꼭 닦기 귀찮아서 버린 건 아닌 걸로~)

때로 우리집에서 쓰는 냄비뚜껑에 문제가 있는 경우, 재활용에 나온 냄비 뚜껑의 부속품을 살뜰히 챙겨오시기도 한다. 그리하여 우리집 냄비들은 연식이 최하 20년이다. 내가 결혼하며 사온 냄비가 제일 젊은 냄비인 셈. 아마 우리집 같은 곳만 있으면 냄비장사들 진즉에 망했을 거다.

새것 더 좋은 것이 자꾸 나오는 세상이지만, 나는 오래 써서 손에 익은 것들이 좋다. 그리고 그것이 어쩌면 어머님과 한집에 사는 내 삶의 방식인지도 모르겠다.

니 생일은 내가 책임지마!

– 며느리 생일상

어머님과 한집에 산 지 19년째. 매년 음력 10월 중순쯤 되면 어머님은 며칠 전부터 장을 보시느라 바쁘다. 명절 때나 아버님 제사 때도 보시지 않는 장을 오로지 나 때문에 보신다. 바로 내 생일상을 차려주시기 위해서이다.

올해는 몸이 안 좋으셔서 그나마 가짓수가 줄어 소고기 미역국이랑 잡채 고기 야채전 정도. 잡채랑 고기 야채전은 정말 손이 많이 가는 음식이라 새벽 내내 주방에서 분주히 준비하시는 소릴 들으며 누워있었다. 나가서 도울라치면 손사래 치실 게 뻔해서 차라리 모른 척 누워있는 게 낫기 때문이다.

딸들 생일엔 전화 한 통 하면 끝이시고, 같이 사는 아들 생일도 "축하한다!" 한 마디로 땡 치시는데, 며느리 생일엔 매년 이렇게 정성 가득한 생일상을 차려주시고, 거기에다 선물과 축하금까지 따로 챙겨주시니 황송할 따름이다.

내가 대단한 효부도 아니고, 아무리 생각해도 불량 며느리인데... 이렇게 살뜰히 챙겨주시는 어머님의 사랑에 늘 송구스럽다.

결혼하고 첫 생일에도 집으로 따로 불러서 상다리가 부러지게 차려주신 게 뚜렷이 기억난다. 내 생일에 엄마가 차려주신 생일상도 제대로 받아본 기억이 없는 나로선 얼마나 감동이었던지!

보통 연애할 땐 예비 며느리 생일 챙기던 시어머니도 막상 결혼하면 나 몰라라 하신다는데, 우리 어머님은 결혼해서 내 사람 됐으니 더 신경 써서 챙겨주시는 스타일이셨다. 같이 서울 살 땐 꼭 불러서 생일상을 차려주셨고, 서울 대전으로 멀어졌을 땐 함께 살던 작은 시누이를 통해서 선물을 보내주시곤 했다. 급기야 한 집에서 살기 시작하면서부터는 "니 생일은 내가 책임지마!" 하고 공언을 하셨다.

어느 해인가엔 친구분들과 제주도 놀러 가시는 일정이 내 생일과 딱 겹친 적이 있었다. 그때는 생일상 못 차려주시는 것을 제일 안타까워하시며 미안해서 어쩔 줄 몰라하셨다. 이런 시어머님이 세상 어디에 계실까? 25년 그 한결같음에 담긴 며느리 사랑을 보답할 수 있어야 할 텐데... 난 여전히 많이 부족한 며느리다.

그래도 제 마음 아시죠, 어머님?

언제나 감사하고 사랑해요~ ^^♡

몰래 뭔 짓을 해서

- 제삿밥 얻어먹은 내력

지난 화요일의 일이다. 어머님 어깨가 안 좋으셔서 1년 전 수술을 받으신 뒤, 정기검진 받으러 다니는 병원에 모시고 가는 길이었다. 운전하다 문득 생각나서 얼마 전 시골에서 어머님 형제분들 만나 뭐 하고 노셨는지 여쭤보았다.

"이모님들이랑은 재밌게 노셨어요? "

"놀긴 뭐 노냐. 큰이모는 자리에 가만~ 앉아서 꼼짝을 안 하고, 막내는 일하느라 바쁘고, 영광이모랑 나랑 밥순이 돼서 밥 차려내기 바빴니라. 그래서 우리가 그랬다. 너랑 나랑은 세트로 다녀야지, 혼자 다니면 못 쓰겠다, 안 그냐? 함시롱~ "

"큰이모님 연세가 많으시니 움직이기 싫으신가 보죠~"

"아니여~ 그 이모는 원래 젊어서부텀 움직이는 걸 싫어했어야. 큰이모랑 영광이모는 가만 앉아서 뽀시락뽀시락 하는 것을 좋아하고, 나랑 막내이모는 어디 다니기 좋아하고 손이 빨라서 일을 잘하니까 늘 일이 많았지."

"하긴 일 잘하는 사람한테 일이 몰리니까요. 그럼 네 분이 모여서 산소 갔다 오신 거 말곤 아무것도 안 하신 거예요? 산소 바로 위에 무위사 있던데, 거기라도 다녀오시지~"

"무위사야 우리 어릴 때 학교 댕기면서 뻑하면 소풍 갔던 곳이라 뭐 볼 게 있간디? 안 가~"

가끔 해남 가는 길에 시외할머님 계시는 산소에 들렀다가, 차로 2분쯤 거리에 있는 무위사에 핑~하니 다녀오길 즐기는 나로선 안타까울 따름이다.

"그래도 간만에 모이셨는데 재밌는 일 없으셨어요? "

"니가 물어봉께 생각난다. 큰이모가 신혼 시절에 홀시어머니랑 방을 나란히 같이 썼는데, 시어머니방이랑 부부방 사이를 나누는 벽에 작은 문이 하나 달렸더란다. 밤에 잘 땐 당연히 그 문을 닫고 잘 것 아니냐? 그런데 문을 닫았더니, 시어머니가 문을 벌컥 열어 제끼면서 '너희들끼리 나 몰래 뭔 짓을 할라고 이렇게 문을 딱 닫고 자냐, 잉? ' 그러셨더란다.ㅎㅎ"

"아니, 아들 부부가 밤에 뭔 짓을 하든 말든 장가보내셨으니 냅두셔야 하는 거 아니에요? 뭔 짓 하라고 결혼시키시는 거 잖아요~"

"내 말이~~ 그렇게 강짜를 놓을라믄 평생 아들 데리고 살

든가 하시지 결혼은 왜 시켜? '며느리가 내 아들 채갔다' 그리 생각하시는 거지. 자고로 며느리를 들이면 '내 아들은 내 아들이 아니고 며느리 남편이다~' 이렇게 생각하고 살아야지!

그란디 말이다~ 몇 년 전부터 큰이모 아들이 집안 제사를 다 가져가서, 시어머니 제사도 아들네 가서 치르는데, 그 집 며느리가 참 정성스럽게 음식을 만들어서 푸짐하게 제사상을 차리더란다. 이모가 그걸 보고 속으로 '그때 내가 어머님 몰래 뭔 짓을 한 덕분에 이렇게 떡 벌어지게 제삿밥 얻어 드시누만요~ 그러셨다더라~ ㅎㅎㅎ"

매의 눈

- 올바른 스쿼트 생활

2019년 6월 25일부터 마음을 단단히 먹고 시작한 게 있다. 팔굽혀펴기 하루 백 개. 100일을 목표로 해서 하다 보니 딱 개천절 하루 전이 100일이었다.(이렇게 100일을 채운 뒤 100일씩 한 시즌으로 묶어서 꾸준히 시즌을 이어가다 보니, 3년 5개월여만인 2022년 11월 19일에 1000일을 채우게 되었다)

자살방지의 염원을 담아 하루 100개씩 팔굽혀펴기를 하는데, 26개씩 끊어서 26-26-26개를 한 다음 100개를 채우기 위해 마지막에 22개를 하는 방식으로 진행했다.(26은 우리나라 하루 자살자 수, 22는 미국 퇴역군인들의 하루 자살자 수이다. 미국에서 시작한 자살방지 캠페인으로 팔굽혀펴기 하루 22개씩 22일 동안 실천하며 매일 한 명씩 22명의 사람에게 이를 전파하는 릴레이 행사가 있었다. 이를 본 따서 마포경찰서의 한 경장님이 우리나라 실정에 맞춰 바꾼 것이 26개였다)

하루 100개씩 팔굽혀펴기를 하다 보니 조금씩 욕심이 생겼다. 팔굽혀펴기는 팔운동이라 내 몸에 공평하게 다리운동도

해줘야지 하곤 스쿼트도 120개씩 하게 되었다. 하루도 안 빼먹고 매일 하는 것이 이 운동의 뽀인트이다.

그런데 며칠 전, 보통은 9시 넘어서 하기 일쑤이고, 자정 전에 겨우 인증을 마칠 때도 있는데 그날 따라 저녁 먹고 설거지한 뒤 여유가 있어서 평소보다 일찍 운동을 시작했다. 별생각 없이 거실 안마의자에 누워 안마를 받으시는 어머님 옆에서 열심히 스쿼트를 하고 있었더니,

"궁디 좀 더 내려라~ 그래야 힘이 들어가지"

하신다. 오잉 언제 보고 계셨지? 어느 순간 헬스 트레이너로 변신한 어머님이 한 말씀하신다.

"넵!"

바로 대답하고 궁디 깊숙이 내리며 마저 했다. 긴장하고 했는지 평소와 달리 좀 되다 싶었다. 마냥 쉽게 해내던 스쿼트 운동이었는데 말이다.

어머님께서 늘상 입에 달고 하시는 말씀이 "내가 장님이다, 장님이야. 안경 안 쓰면 아무것도 안 보여야~"이신데, 이럴 때 보면 아무래도 매의 눈을 지니셨다.

등산 20년 넘게 하셨지, 요가도 10년 가까이 하셨지, 평상시에는 다양한 운동을 섞어서 적어도 하루 대여섯 시간은 꾸

준히 운동을 하시는 어머님이시니 운동엔 전문가 수준이시다. 그런 어머님 앞에서 내가 운동이랍시고 스쿼트를 하고 있었으니 며느리 운동하는 모습이 한눈에 딱 들어올 수밖에 없으셨을 거다. 번데기 앞에서 주름 잡은 격.

음... 앞으론 어머님 계신 데서 운동 안 해야쥐~!^^

니가 울렸지?

- 양파와 눈물의 상관관계

친정인 해남에서 주신 애호박으로 뭐 해먹을까 하다가

역시 해남에서 주신 양파를 쫑쫑 썰어넣고

마트에서 사온 쭈꾸미를 데쳐서 잘게 썰어 넣어

애호박전을 부쳐 먹기로 했다.

양파를 꺼내서 써는데 어찌나 맵던지

꼴랑 양파 두 개 썰면서 눈물을 한 바가지나 흘렸다.

삶은 꼬막에 바를 양념을 만들어주시느라 옆에서

저녁 준비를 도와주시던 어머님께서

"누구한테 맞았냐? "

하며 슬쩍 웃으셨다.

원래 양파가 잘 영근 것일수록 맵단다~ 하시며.

그때 마침 퇴근하고 들어온 남편을 보시고는,

"니가 때렸지? 너 왜 우리 며느리 때렸니? 응? "

하시는 통에 갑자기 봉변당한 남편은

"히잉~ 나한테 왜 그러세요?

이제 들어와서 아무짓도 안 했는데...ㅜㅜ"

하며 울상을 하구선 안방으로 퇴각했다.

남편과 부부싸움이라도 할라치면

매번 며느리편을 들어주시는 어머님 덕분에

내가 이 남자랑 연을 끊고 살아야지 싶다가도

어머님 얼굴 봐서 참을 때가 한두 번이 아니었다.

그래서 흔히들 시어머니 모시고 사는 며느리들이

"에휴~ 그저 남편 보고 참고 살지요 뭐~"

할 때, 나는

"에휴~ 그저 시어머님 보고 참고 살지요 뭐~"

이런 말을 할 수 있었던 거다.

올 11월이면 결혼 25주년을 맞이한다.

결혼하고 25년, 무려 반백년이 지난 오늘날까지 우리가

안 갈라서고 잘살고 있는 건 상당 부분 어머님 덕분이다.

고부간에 잘 지내는 가장 첫째 비결은

"아들보다 며느리를 제일로 여겨주시는 어머님께서

자애로움과 지혜로움을 겸비하시는 것이다!"

라고, 이 불량며느리는 소리 높여 외쳐 본다.^^

힘들다 vs 편하다

– 시어머니와 함께살이에 대해

내가 홀시어머님을 모시고 산다 하면 크게 두 가지 반응이 나온다.

"어머~ 안 힘드세요? "나

"이야~ 어머님이 다 해주셔서 편하겠네!"

첫 번째 반응은 대체로 시어머님과의 관계가 불편한 며느리들이 보이는 반응이고,

두 번째 반응은 시어머님들이 잘 해주시는 집안 며느리들의 반응이다.

나는 이 두 반응에 대해 이렇게 답한다.

"그렇게 힘들지도, 그렇게 편한 것도 아니에요~"

우리 어머님은 삼시 세끼 따뜻한 밥에 꼭 국이 있어야 하며

매끼 새롭게 만든 반찬을 요구하는 까다로운 분이 아니기에 그렇게 힘들지 않은 거고,

그렇다고 워킹맘 며느리 혹은 딸을 모시고 사는 어느 어머님처럼 온갖 집안일을 다 해주시는 것도 아니기 때문이다.

만약 시아버님께서 살아계시고, 내가 두 분을 모시고 살아야 했다면 좀 힘들었을 것 같다.

우리 결혼 2년 전에 돌아가신 시아버님은 어마무시하게 까다로우신 분이라 꼭 매끼 따스한 밥과 새로 끓인 국이 있어야 했고, 김치를 어찌나 좋아하셨는지, 고기나 생선이나 별나고 좋은 다른 반찬 다 있어도 김치가 없으면 반찬 없다고 안 드셨단다. 그래서 딸랑 세 식구일 때도 한 아름이나 되는 큰 김장배추를 오십 포기씩 담그셔야 했다고. 재밌는 건 이렇게 담가 놓으면 집에서 드시는 것보다 퍼주는 게 더 많으셨단다.

어느 집 홀애비 한 바게쓰~ 또 어느 집 홀애비도 한 바게쓰~ 이런 식으로 아버님이 김치를 바게쓰채 퍼다가 남 주길 좋아하셔서, 누군 혼자 뼈빠지게 김치 담궈놓으면 누군 혼자서 인심 쓴다며 '이 동네엔 왜 그리 홀애비가 많은지 모르겠네~' 하고 어머님 속으로만 그렇게 궁시렁대셨다는~^^

아버님은 김치도 꼭 익은 김치여야 해서, 생김치는 싫어하셨고, 부위는 반드시 하얀 대부분만 드셨단다. 어머님께선 이파리 부분을 좋아하셔서 부부가 유일하게 궁합 맞는 게 배추김치 좋아하는 부위가 달라서 안 싸우고 드신 거라고. 아버님은 배추뿐만 아니라 무도 아래 하얀 부분만 좋아하시고, 무청 부

44

분은 절대 안 드셨다고 한다.

한 번은 어머님이 일 다녀오시니, 아버님이 옆집에서 알타리무를 주길래 다듬어놨으니 알타리김치 좀 담그라고 하시더란다. "왠일로 무를 다듬어놓고 예쁜 짓 했네~!" 칭찬하시며 부엌에 들어가보니...

알타리무 이파리는 싹 다 사라지고, 작은 새끼 이파리 몇 개만 앙증맞게 달라붙어 있는 게 아닌가! 이미 칭찬은 했는데 또 뭐라고 하기도 그렇고 해서 속으로만 '참내 알타리무 진짜 이쁘게도 다듬어놨네. 이파리까지 같이 담가야 맛있는데~' 하구선 조용히~ 알타리김치를 담그신 적도 있다고 하신다.

이야기가 옆으로 샜다. 암튼 우리 어머님은 그렇게 까다로우신 분이 아니어서, 큰 어려움 없이 모시고 사는 편이다. 그리고 아이들 어릴 때, 특히나 둘째 애기 때는 엄마가 눈에 안 보이면 하도 꺼이꺼이 울며 방방을 기어 다니면서 엄마를 찾아다니는 통에(둘째가 돌이 되기 전에 어머님과 합가를 하면서, 우리끼리만 살던 아담한 집이 아니라 미로같이 복잡한 꽤 큰 집에 살게 돼 나를 찾으려면 한참을 찾아다녀야 했다),

"집안일 하느라 애 울리기보다, 차라리 내가 일을 할 테니 니가 애를 보거라~"

하시곤 식사 준비도 많이 도와주시고, 청소나 집안 정리도 수시로 해주시곤 했다. 그러나 애들이 점점 크고 둘째가 서서히 엄마가 안 보여도 당장 하늘이 무너지는 건 아니라는 사실을 깨닫기 시작한 뒤부터는 많은 일들이 내 손을 거치게 되었다. 가랑비에 옷 젖듯 조금씩 조금씩 시나브로 집안일 이관이 이뤄져서 어느 날 보니 대부분의 집안일은 내가 다 하고 있었다. 어머님은 어쩌다 내가 부탁할 때만 어머님만의 레시피가 가미된 음식을 해주신다거나, 내가 바쁠 때 설거지를 해주시는 정도만 담당하시게 됐다.

어머님께서 참 현명하시게도 물 흐르듯 자연스럽게 집안일을 내게 맡기신 결과였다. 그래서 남들이 보기엔 '저 일을 언제 다 하지?' 싶은 일들을 나도 모르게 해내고 사는 거다^^ 하지만 몇 접씩 되는 마늘 까기나 매년 봄마다 담그는 매실청, 늙은 호박으로 만드는 호박죽, 오늘 점심에 먹은 서리태 콩국수 같은 건 어머님이 안 계시면 내 힘만으로는 절대 할 수 없는 것들이다.

시골에서 보내주신 쌀이나 반찬거리들을 안 버리고 잘 먹게 된 것도 어머님과 합가해 살면서부터다. 전에 남편과 나만 살 땐 쌀에 벌레가 생겨서 밥으론 못 해 먹고 떡을 해서 먹은 때가 한두 번이 아니고, 김치고 뭐고 다 못 먹고 도로 해남에 가져가거나 썩혀서 버려야 할 때가 한두 번이 아니었다. 시골에서 힘들게 농사지어 보내주신 것들을 그리 버릴 땐 너무도 죄송했지만 어쩔 수 없는 부분들이 있었다.

그런데 어머님과 함께 살면서는 그런 적이 거의 없다. 그 사이에 애들이 커서 잘 먹게도 됐거니와, 어머님께서 수시로 먹을 때를 놓치는 음식이 없는지 잘 살펴주시는 덕분이다.

이러니 효율적인 가정경제에 어머님께서 기여하시는 바가 참으로 크다고 할 수 있다. 그래서 난 그렇게 힘들게 시모살이를 하는 것도 아니고, 어머님께 기대어 만판 편하게 사는 것도 아닌, 보통의 여느 집처럼 그렇게 살림하고 산다. 피붙이는 아니지만, 내가 세상에서 제일 사랑하는 남자를 낳아주신 분과 함께 가족의 이름으로.^^

다 내 죄이옵니다~

- 남편 잘못은 내 탓?

일주일간 영암 이모님네 다녀오시느라 집을 비우셨던 어머님께서 드뎌 오셨다! 할머니랑 방을 같이 쓰는 둘째의 좋은 날은 다 갔다. 혼자서 침대 쓰고 맘껏 뒹굴거리던 녀석이 이제 침대 아래 본래 제자리로 돌아갔다.

우리집은 방은 세 개이고 식구는 다섯이다 보니, 안방에서 엄마 아빠랑 같이 지내던 아들이 초등 고학년이 되면서 할머니랑 같이 방을 쓰게 됐다. 어머님 방이 넓은 편이어서 어머님 침대 옆에 자리 하나를 깔 정도로 공간에 여유가 있고, 돌 무렵부터 할머니랑 한집에서 같이 지낸 둘째도 할머니랑 같은 방을 쓰는 게 그다지 거부감이 없으리라 여겼기 때문이다.

나도 어릴 때 할머니랑 한방을 썼다. 할머니랑 한 이불 덮고 누워서 잠이 들기 전이나 새벽에 이불 속에서 도란도란 나누던 이야기들이 참 좋았다. 주는 나는 할머니의 이야기를 들으며 맞장구를 쳐주는 역할이었다,

할머니가 평생 살아오신 이야기를 생각나시는 대로 두서없

이 해주셨는데, 입담이 좋으셔서 정말 재밌게 듣곤 했다. 그렇게 정이 쌓이다 보니, 성장기의 나는 엄마보다 할머니를 더 좋아했다. 중학교까지 고향에서 다니고, 고등학교는 광주로 유학을 가게 되었을 때 집 떠나 가장 그립고 보고팠던 사람이 내가 중학생 때 틈만 나면 봐주던 작은집 사촌동생이랑 할머니였다.(둘째 작은아빠의 첫딸이었는데, 작은아빠랑 작은엄마 두 분이 함께 장사를 하셔서 내가 학교를 마친 시간이거나, 방학 때면 갓난쟁이 동생을 돌봐주어야 했다. 그래서 사정을 모르는 분들은 내가 애기엄마인 줄 아는 사람도 있었다.^^;; 어느 날은 동생을 업고 시골 오일장 구경을 살살 하고 있는데, 지나가던 아줌마가 "아이구~ 엄마는 쬐깐한디, 애기는 실하게 잘 낳았네!" 하셔서 기함을 한 적도 있다. 그때 내 나이가 14살이었다고요! 광주로 올라가기 전 중3 겨울방학 때는 두 달 가량 아예 작은집에 들어가 살며 동생돌보미를 하다 보니, 어린 사촌동생에게 키우는 정이 쌓일 수밖에 없었다.)

내가 결혼하고 몇 년 뒤에 할머니께서 돌아가시기 전까지 나는 엄마보다 할머니를 더 좋아했는데, 엄마가 말씀은 안 하셨지만 꽤 서운해하셨던 걸로 짐작한다. 할머니에 대한 좋은 기억 덕분에 할머니랑 손주가 한방을 쓰는 것에 대해 난 지지

하는 입장이어서 남은 방 하나를 먼저 차지한 첫째 대신 둘째가 할머니랑 한방을 쓰게 된 것이다. 문제는 둘째가 딸이 아닌 아들이란 점이었다. 점차 아들이 커갈수록 성별이 다른 할머니랑 한방을 쓰는 데엔 한계가 있을 수밖에 없기 때문이다.

그래서 예전부터 계획한 대로 안방 앞 베란다가 방 하나 나올 정도로 넓으니, 지금은 창고처럼 쓰는 그곳을 정리해 둘째 방을 만들어주기로 했다. 계획은 있으나, 이일 저일 바빠서 계속 미루게만 되었다. 스몰스텝 정리방에 들어가면 자극 받아서 얼른 하려니 했건만, 자극만 받고 실천에는 못 옮기는 나날이 이어지는 중이었다.

정리에 일가견이 있는 어머님 눈에는 참으로 한심하기 이를 데 없는 며느리의 모습이건만 한 번도 뭐라고 하시진 않았다. 다만 어느 날 아침 운동 다녀오셔서 늦은 아침을 드신 뒤 내가 설거지하는 동안 남편의 컴퓨터 책상을 치우시며 하는 말씀이 결국은 나 들으라고 하시는 소리인 듯해 찔끔할 뿐.

"우리 집 남자는 어째 책상이 맨날 이런다니? 어릴 땐 안 그러더니 어째 나이를 먹을수록 정리를 안 해~ 전에는 필통에 연필이나 볼펜도 얼마나 가지런하게 정리해놓고, 책상도 늘 깨끗했는데..."

주섬주섬 책상을 치우시며 하는 말씀이 설거지하는 내 등 뒤로 와서 콕콕 박힌다. 매번 묵묵히 듣다가 오늘은 뭐라도 한 마디 해 드려야 속상한 마음이 좀 가시지 않을까 하여

"그러게요~ 다 제가 잘못 키워서 그래요~ 어머님이 28년 잘 키워서 저 주셨는데, 제가 데리고 살면서 다 버려놨네요~^^;;"

그랬더니 아무 말씀 없으시다.

속으로 그러시겠지.

'니 죄를 니가 잘 아는구나~'

아, 진짜~~~!

자기가 맨날 쓰는 책상 정리 하나 못해서

내가 이렇게 스스로 디스를 해야 하다니!!

우리 집 이 남자를 어이할꼬!!!

미역국을 끓이며

– 남편의 생일, 어머님께 바치는 미역국

남편의 생일날 새벽이었다. 남편은 음력 12월생이라 늘 해가 바뀌어서 생일을 맞는다. 사실 엄격히 따지자면 십이간지에 따른 경자년은 아직 오지 않았다. 음력 설이 되기 전까진 아직 '기해년'인 것이다. 돼지띠에 돼지해 생일을 맞은 남편은 하마터면 미역국도 못 얻어먹을 뻔했으나 어머님과 함께 사는 덕분에 미역국을 얻어먹게 됐다.

친정 아빠 생신이 남편 생일보다 이틀 뒤라 형제들 모이기 좋게 당겨서 아빠 생신 모임을 가지다 보면, 정작 남편 생일에 아빠 생신 축하를 하는 날들이 많았다. 남편은 이에 대해 불만이 컸다. 어머님께서 웃으시며 "처가에 가서 더 걸판지게 잘 얻어먹는 생일이니 얼마나 좋냐?" 하셔도, 남편은 장인어른 생신 모임에 맞는 자신의 생일이 늘 불만이었다.

그러던 와중에 이번엔 마침 아빠 생신이 토요일과 겹쳐서 생신 당일 모이기로 한 덕에 오늘은 제대로 본인 생일을 집에서 맞이하는 꽤 귀한 날이었다. 그런데 생일 전날 출근길에 괜히 성질을 내더니, 자기 생일 안 챙겨도 된다고 소리를 빠락 지르고 나가는 게 아닌가? 그 바람에 난 아주 심각하게 미역국도 케잌도 맛있는 반찬도 다 생략하고 그냥 평소처럼 아침상을 차려낼까? 하고 심각한 고민을 하던 중이었다.

그러다 어머님 생각에 머물렀다. 난산에 눈까지 무지막지 내려서 택시도 안 잡히고 구급차도 못 오는 상황에, 겨우겨우 제설차인가 청소차인가를 타고, 병원 가셔서 힘들게 남편을 낳으셨던 어머니. 그날 가장 고생하신 어머님을 위해 미역국을 끓여드려야겠다는 생각이 든 거였다.

내가 둘째를 낳았을 때 산후조리를 해주신 분이 어머님이었다. 당시 어머님은 서울에, 난 대전에 살고 있어서 큰애 데리고 어찌 산후조리를 할까 고민하던 참이었다. 그런 며느리에게 서울에 와서 둘째를 낳으면 어떻겠느냐는 제안을 어머님께서 먼저 하셨다. 병원과 먼 친정은 처음부터 염두에 두지 않았고, 그렇다고 친정엄마가 대전으로 올라오셔서 산후조리를 해주실 상황도 아니었고, 당시만 해도 산후조리원이 지금처럼 많지도 않은 때에, 거기 들어가면 큰애 맡길 곳이 없어서 고민이 컸다.

어머님도 직장을 다니시느라 하루 종일 옆에서 챙겨주진 못하지만 마침 시집 안 간 둘째 아가씨가 한집에 살면서 틈틈이 도와줄 수 있으니 괜찮다면 서울로 올라오라고 하셨다. 그래서 두 번 고민도 안 하고 바로 날짜를 정해 짐 싸서 올라갔다. 그렇게 두 달 넘게 어머님 댁에서 지내며 몸 풀고 둘째를 키우다, 5월 초에 분만예정이었던 큰 아가씨에게 바톤터치하고 대전에 내려왔더랬다.

둘째를 낳고 어머님 댁에서 산후조리하는 동안 어머님은 하루도 빼먹지 않으시고, 매일 새벽 4시에 일어나 미역국부터 가스불에 새로 끓이셨다. 소고기는 오래오래 뭉근히 끓여야 안 질기고 부드럽다며 매일 정성 가득한 소고기미역국을 끓이시고, 며느리 입맛에 맞을만한 반찬들을 만들어 아침상을 차려주셨다. 그리고 혹시나 어머님이 출근하시고 없는 동안, 내가 설거지를 해놓을까 봐 부리나케 설거지까지 마치시고 출근을 하셨다. 옆에 같이 못 있어줘서 미안하다는 말씀을 꼭 건네시곤.

그렇게 며느리에게 최선을 다하셨던 어머님을 생각하니 남편 밉다고, 남편이 하지 말랬다고 미역국을 안 끓일 수는 없었다. 남편은 밉지만 그날 고생하신 어머님을 위해 남편 생일에 미역국을 끓였다. 10여 년 전의 어머님처럼 새벽 4시에 일어나, 소고기를 참기름에 달달 볶은 뒤 두 시간 가까이 뭉근히 끓이는 중이다. 이제 생일상을 차릴 시간, 사랑하는 어머님을 위해.

* 쓰고 보니... 사랑하는 남편 낳아주신 어머님께 감사한 마음을 담아 미역국 끓인다고 해야 맞는 거 아녀? 우찌 된 게 사랑하는 어머님을 만나게 해준 남편을 위해 미역국 끓이는 셈이 됐으니... 아놔~~~

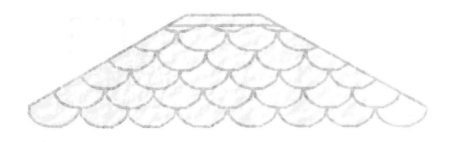

2장
수다는 즐거워

떡메와 콩고물밥

- 별 게 다 유전이야

내 상태가 안 좋은 때는 서너 가지 정도가 고작이지만, 상태가 괜찮으면 우리 집 식탁에 놓이는 반찬의 가짓수는 보통 열 개 안팎이다. 오늘 아침만 해도 배추김치, 갓김치, 무채지, 새우파프리카볶음, 물만두, 김, 굴비구이, 찰고구마떡구이, 무말랭이오징어무침, 어묵볶음에다 김치찌개와 시래깃국에 사과까지 놓였다. 그런데 한 달쯤 전부터 반찬이 많든 적든 어머님께서는 꼭 밥에 콩고물을 비벼서 드시곤 했다. 식탁 한쪽 영양제랑 비타민, 정장제 등이 놓인 자리 옆에 아예 콩고물통을 놓아두시고. 하루는 어릴 때 콩고물에 밥 비벼 먹던 생각이 나서 여쭈었다.

"저희 친정에선 콩고물에다 설탕도 넣어서 비벼 먹었는데 어머님은 그냥 드시네요? "

"설탕 안 넣어도 얼마나 꼬순데? 이거 영광이모가 지난번에 새로 빻았다고 보내준 건데 맛나다. 너도 먹지 그러냐? "

"어머님 드시는 거 보면 먹고 싶은데 다른 반찬 먹다 보면 잊어버리네요. 명절 때 콩가루 막 빻아와서 갓 쪄낸 찹쌀을 떡메로 쳐서 인절미 만들고, 남은 콩고물은 밥이랑 설탕이랑 비벼 먹으면 진짜 맛났는데~"

"우리 땐 박바가지에다 비벼 먹었니라. 옛날엔 그릇도 귀해서 가을에 지붕 위에 열린 박 따다가 속은 파내고 말렸다가 그릇 대신 많이 썼지~. 바가지에 한가득 비벼서 온 식구 둘러앉아 먹으믄 꿀맛이지야. "

"할머니가 그렇게 해서 주신 적도 있었던 것 같아요. 보통은 스뎅 그릇 큰 거에다가 했구요. 콩고물이 명절이나 제사에 쓸 인절미 만들 때나 빻아오곤 해서 그리 자주 먹진 못했어요."

"그랬지~ 집에서 떡 만들 때나 해서 놓응께. 전라도는 특히나 명절에 쑥떡 안 해먹으믄 큰일 나는 줄 알고 꼭 만들어 먹었지야. 근디 우리 집은 아버지가 떡메를 안 쳐주시니까 내가 절구공이로 떡을 쳤단다."

"예에? 진짜요? 떡메는 당연 남자들이 치는 거 아니에요? 우리 집은 작은아빠랑 삼촌들이 많으니까 돌아가면서 떡메질을 했는데..."

"우리 아버지는 떡 하는 날은 어디서 노시다가 밤이나 돼서야 들어오시니까 그때까지 지달릴 수가 없어서 내가 했단다."

"큰외삼촌도 계시잖아요? "

"큰외삼촌은 내가 열한 살 때 중학교 마치고 목포 작은아빠 밑에서 일한다고 갔다가, 도저히 공부를 포기할 수 없어서 광주로 가서 학교 다니느라 쭉 집을 떠나있었거든. 집안에 나 아니면 일할 사람이 없었지야."

"그래도 혼자서 절구공이로 쳐서 떡 만드시는 거는 좀 심했네요. 힘드셨을 텐데~"

"그때부터 내 어깨가 슬슬 나갔을 거여. 결혼해선 니 시아버지가 어디서 녹이 택택 슨 무쇠 프라이팬을 가져와서 닦아 쓰라고 하는 바람에 한 달 내내 철수세미로 닦고 닦고 또 닦아서 쓰니라 또 어깨 나가고. 그러니 어깨 빙신이지~"

시어머니는 작년 봄에 오른쪽 어깨가 아예 들어 올려지지도, 뒤로 돌아가지도 않아서 어깨 수술을 크게 받으셨고, 올해엔 왼쪽 어깨도 말썽이어서 가을부터 계속 병원을 다니시는 중이다.

"남자들이 명절에 떡메 치고, 닭 잡고, 밤 치는 거 말고 더 할 것도 없는데... 좀 해주시지 너무하셨다~"

"떡메 치다 사람 죽은 일도 있었단다. 우리 옆 동네 어디에서 떡메를 내리치다 잘못해서 떡 반죽 손으로 만지던 아줌씨 어깨를 쳤는데, 어찌케 하다봉께 죽었다고 하더라."

"어머 진짜요? 그게 좀 위험하긴 해요. 생각해 보면 남자 어른들이 떡메 치고, 엄마나 작은엄마가 떡을 뒤집고 옹글씨고 하면서 반죽을 만지는데 떡메가 들린 사이에 후딱 해야잖아요. 잘못해서 떡메 내려올 때 손을 못 빼면 큰일 나겠더라구요."

"그라지야~ 그랑께 그렇게 죽기도 했재.

영 재수가 없을라니 사람이 그렇게도 죽드랑께..."

"참 사람 일이 알 수가 없어요. 명절 앞두고

떡 치다 초상나고..."

옆에서 듣던 남편이 한 마디 거든다.

"그래서 내가 밤을 안 친다니까~"

밤 치는 것이 떡메 치는 거랑 뭔 상관?

밤 치는 건 당연히 남자가 하는 일로 알고 있던 난, 시집와서 보니 남편이란 사람이 하도 밤 치는 걸 싫어해서 놀라버렸다. 그게 뭐 그리 힘든 일도 아니고 다른 일을 도와주는 것도 아닌데 저렇게 하기 싫을까?

그래서 투닥투닥 몇 번 싸우다가 이젠 아예 껍질 까진 밤을 사다 쓰거나, 아니면 어머님이 명절이나 제사 전에 미리미리

밤을 깎아두시곤 한다. 그러다 이번 아버님 기일 며칠 앞두고는 새로 사둔 밤칼로 껍질을 벗기시다 어머님 손가락을 크게 베이셔서 난리가 나기도...

  암튼 제삿날이나 명절에 집안일 안 도와주고 니나노~ 하며 남편이 놀았던 게 알고 보니, 다 외할아버지 유전이었네 그랴. 뭐 그런 좋지도 않은 거를 다 물려받고 말이야. 내가 이래서 김해 김씨 여자는 훌륭해도 김해 김씨 남자는 훌륭하단 말을 못 한다니까.

뭘 해도 김치국

수다도 반찬이 되는 점심

어머님과 함께 점심 먹는 시간은 어머님의 흘러간 옛이야기를 듣기에 딱 좋은 때다. 어제 만들어둔 서리태 콩물이 남아서, 국수 삶아 건져내고, 오이 하나 차박차박 채 썰어 넣어서 콩국수 말고, 빨간 자두를 반찬 삼아 고부간에 마주 앉아 먹으며 이야기꽃을 피웠다.

"어머님~ 아버님이 요리는 좀 하셨어요? "

"요리? 그 냥반이 뭔 요리를 했겠냐? 나 어디 가고 없으면 된장 풀어서 국 끓여 먹는 것 하나는 하더라만~ 원체 국 없이는 못 먹는 사람이라~"

주거니 받거니 이야기를 나누며 후루룩 짭짭 국수를 드시다, 문득 생각났다는 듯 어머님이 또 말씀을 이어가신다.

"니 시아버지 되는 사람이 얼마나 웃긴지 아냐? 하얗게 무국을 만들어도, 미역국을 끓여서 올려도, 시금치된장국을 해서 바쳐도~ 간도 보기 전에 무조건 김치부터 국그릇에 푹~하니 담가서 뭔 국이든 다 김치국을 만들어서 먹었단다."

"에에~? 그럼 국을 무슨 맛으로 먹어요? "

"낸들 아냐? 뭔 국이든 다 시뻘건 김치국이 되었는데도 좋다고 잘만 드시더라. 내가 시집 가서 첫날 아침에 밥하러 부엌에 들어가니, (팔로 한아름도 더 되게 동그란 모양을 만들어 보이시며) 이따만큼 커다란 솥에다 쌀뜨물을 가득 풀어서는 김치를 숭숭 썰어서 국을 끓이더라. 저걸 언제 다 먹누? 했는데, 내가 밥 먹으러 방에 들어가기도 전에 '형수씨 여기 국 한 사발만 더 주씨요~ ' '여기도요~ 형수씨' 함서 그 많은 국을 다 먹더라니까."

"식구가 몇이나 됐간디요? "

"어디 보자~ 할아버지, 할머니, 작은아버지 두 분, 시집 안 간 고모 두 분에 큰고모 딸까지 일곱이네. 그 큰고모 딸은 어릴 때 할머니 젖 먹고 자랐단다! 큰고모가 그 옛날에 이혼을 하셔선 딸 하나 맡겨두고 서울서 직장 다녔거든."

"그럼 어머님 아버님까지 총 9명이네요. 그 아홉 식구가 큰 솥단지에 든 국을 한 끼에 다 드신 거예요? 대단들 하심!"

"야야, 난 먹어보도 못 했으니까 난 빼라. 암튼 덩치들도 산만한 데다 먹기도 참 잘 먹드라~ 시댁 자손들이 할아버지 타개서 기골이 장대했지. 할아버지가 젊으실 적에 씨름대회 나가시면 송아지도 타오실 만큼 힘도 세고 키도 크셨단다. 장날에 장터 가서 할아버지 찾으려면 엄청 쉬웠어야. 남들보다 한 자는 더 키가 크셔서 사람들 머리 위로 상체가 쑤욱 올라와 계시니, 멀리서도 한눈에 딱 들어왔거든."

내가 시집와서 뵌 시할아버님은 정말 키가 크셔서, 팔순이 넘으셨는데도 어림잡아 180은 넘어 보이셨다. 그런데 이상하게 그 우월한 유전자가 남편에겐 제대로 발현이 안 되서, 남편 키는 보통이다. 키에 비해 팔다리가 기인 편이긴 하지만^^

그렇게 시작된 이야기는 끝 간 줄 모르고 펼쳐지며, 한 너 댓 번 이상은 들었을 법한 어머님의 시어머님이(나한테는 시할머님) 며느리가 영암 시골 내려오면 바로 앞 월출산 너머 강진에 친정이 있는데도, 일 시키느라 친정 보낼 생각을 안 해주셔서 서럽던 이야기부터 구구절절 설움보따리가 풀려나온다. 희한한 건 그 이야길 그렇게 자주 들어도 난 질리지가 않는다는 거다. 어떤 이야기는 외울 정도로 진짜 열댓 번 들은 것도 있는데, 들을 때마다 재밌고 신기하다.

그래서 고부간에 시간 가는 줄 모르고 수다삼매경에 빠져서는 가스렌지에 뭐 올려놓고 끓이고 있다가 태워먹을 뻔한 적도 있다. 우린 참 우끼는 고부지간이다^^

거짓말하고 뺨 맞는 것보다 낫네!

– 고구마 잎싹 된장국

며칠 전 장 봐서 들어와 저녁을 준비하려는데 어머님께서 가스렌지 위에 뭔가를 보글보글 끓이는 중이시다. 가끔 어머님은 어머님께서 드시고 싶은 음식을 내게 시키지 않고 직접 해 드시곤 하는데 이번에도 뭔가 그런 음식을 하시나부다 여기곤 '뭘까?' 쓰윽 들여다보니 무슨 해초 같은 게 된장국 속에서 끓고 있는 중 '뭐지?'

"어머님~ 신기한 해초 구하셨나 봐요~"

"해초는 무슨? 고구마 잎싹이다!"

"엥? 고구마 잎싹이요?"

"저기 베란다 화분에 키우던 고구마 잎이 무성하길래 어릴 때 기억 살려서 국 한 번 끓여봤다." 하시며 어릴 적 고구마 잎싹 된장국을 끓여 드시던 이야기가 시작되었다.

시골에선 요즈음이 국거리 할 게 똑 떨어지고 없을 때란 말이여. 시금치가 있길 허냐, 아욱이 있길 허냐, 그란디 우리 아부지가 평소엔 국을 잘 안 드시다가도 술만 드시고 오면 다음

71

날 꼭 해장국을 찾으셨단다. 딱 요맘때인데 아침상을 차려 올리고 보니 국이 빠졌네!

"숟가락 정갤 국물 하나도 없이 이게 뭐여? "

하실 게 뻔한지라 부랴부랴 된장을 풀어 물에 끓이고, 국에 넣을 푸성귀를 찾아 텃밭을 헤매는데 마침 눈에 들어오는 초록 푸성귀가 고구마 잎싹이라~ 후딱 뜯어다가 싹싹 비벼서 도구태에 적당히 비벼갖고 국에다 넣었지야.

여기서 내가 질문 하나.

"어머님, 어차피 잘 모르실 텐데 아무 풀이나 뜯어다 국에 넣으면 안 되나요? "

"아무리~ 그래도 아부지 드실 국인디 잘 가려서 넣어야지!"

헤헤헤.., 그렇긴 하네요(민망 민망^^;;)

그래서 보글보글 끓여서 진짓상에 올려드리니

"카~ 좋다! 이 맛이지~!" 하시며 잘 드시더라고.^^

"어디 그때 맛 나능가 보끄나? "

이야기를 끝내신 어머님이 한 수저 떠서 드셔 보더니 말씀하시길, "그래도 거짓말하고 뺨 맞는 것보단 낫네"

드실 만하단 말씀이다.

나도 옆에서 한 사발 떠서 먹어보니, 괜춘하네~!

고구마는 잎싹부터 줄기, 뿌리에 이르기까지 버릴 게 진짜 하나도 없는 고마운 작물이다. 지금 그 고구마들이 텃밭에서 무럭무럭 자라 수확을 앞두고 있다. 올해는 7월 초 느지막이 심어서 추수가 늦어지고 있는데 과연 얼마나 수확하게 될까? ^^

귀신같이 알고 온단다

-제사 날짜 정하기

아버님의 기일과 내 생일은 정확히 한 달 차이다. 내 음력 생일 뒷자리와 아버님 기일 뒷자리가 한 달을 앞뒤로 똑같아서 사실 내 생일을 지내고 나면 아버님 기일이 이제 한 달 남았구나~ 하는 생각이 가장 먼저 든다.

결혼하기 몇 년 전에 아버님께서 돌아가셨고, 남편과 연애하던 시절에 살아는 계셨지만 의식불명 상태로 중환자실과 일반병실을 오가시는 형편이었다. 아버님이 일반병실에 계실 때 남편을 따라 병원에 가서 누워계신 아버님께 딱 한 번 인사드린 게 아버님을 뵌 전부다.

그러니 '시아버지 사랑은 며느리'라는 말을 느껴볼 겨를이 없었다. 그럼에도 때로 아버님께서 비록 이승에 함께 계시지는 않지만 저세상에서나마 가족을 보살펴주시는 것 같다는 느낌을 받을 때가 종종 있다.

아이엠에프 직격탄으로 난리가 났던 흉흉한 시절에 결혼 날짜부터 받아놓고 백수인 상태인 아들을 지켜보느라 어머님께서 위경련을 일으키실 정도로 신경이 예민해지셨을 때, 남편이 결혼을 한 달여 앞두고 마침맞게 취직을 한 거라든지, 연고 하나 없는 대전에 내려올 때 한 번도 뵌 적 없이 인터넷 게시판으로만 알고 지내던 분께서 남편을 직접 차에 태우고 다니며 집을 알아봐 주신 덕분에 태어난 지 한 달밖에 안 된 갓난쟁이 데리고 서울에서 대전까지 집 보러 다니지 않았어도 좋은 동네에 괜찮은 집을 얻은 거라든지, 수습하기 힘든 일로 당장 큰돈이 필요했을 때 아버님께서 남겨주신 땅을 판 돈이 요긴하게 쓰인 거라든지... 이게 다 아버님께서 살펴주신 덕분이 아닌가 생각하곤 했다.

그래서 아버님 기일엔 일주일 전부터 장을 보기 시작해 음식 재료를 준비해서 제삿날 당일엔 하루종일 어머님과 함께, 때론 일찍 온 아가씨들과 음식을 마련해서 제사상을 차렸다. 크리스마스이브엔 케이크도 제사상 한켠에 올려 성탄절 기분을 내고, 한 해의 마지막 날에 딱 제사가 걸린 경우엔 제사 지낸 다음 날 새해 일출을 온 가족이 함께 보고 떡국을 끓여 먹기도 했다.

원래 '부모 생일은 자식들 일정에 맞춰서 날짜를 바꿔 지내도 제사는 제 날짜에 한다!'가 그간의 원칙이었는데 오늘 어

머님께서 말씀하시길,

"이번에 제사가 애들 기말고사 기간에 딱 들었더라. 제사 다음날이 00이 시험날이던데 어쩌냐? "

"뭐 그래도 제 날짜에 해야죠~ 애들 시험은 지들 알아서 보라고 하고. 제사 지낸다고 시험 못 볼라구요~"

"그란디 말이다. 지난번에 어떤 할머니가 법륜스님한테 제사 날짜 꼭 지켜서 지내야 하냐고 물어보니까, 스님 말씀이... 돌아가신 분들이 말하자면 귀신이잖아요. 제사 날짜 좀 바꿨다고 모르지 않아요. 귀신같이 알고들 찾아오시니까 자손들 편한 날짜에 맞추셔도 됩니다~ 그러시더라. 우리도 올해는 날짜를 주말로 땡겨서 할끄나? "

"하하~ 법륜 스님다우신 답변이네요. 저야 좋죠~ 주말에 하면 아무래도 평일보다 음식 하기도 편하고, 아가씨들도 내려오기 쉽잖아요~"

그래서 올부턴 제사도 자손들 편한 날짜에 맞춰서 하기로! 조만간 울집도 어디 놀러 가서 펜션에다 제사상 차리는 거 아닐는지~

울 아버님, 그렇게 해도 귀신같이 알고 찾아오시겠쥬? ^^

떴다방을 아슈?

– 노인들이 그곳에 가는 이유

오래 전 한 단톡방에서 작은 논란이 있었다. 일명 떴다방 피해자가 되신 노모가 구매하신 돌매트를 환불하는 과정에서 겪었던 어이없는 상황을 글로 나누다 급기야 다른 어르신들이 같은 일을 겪지 않도록 그 업체를 엄중하게 조치해달라는 청와대 청원글을 올린 것이다.

이 글이 올라오자 많은 이들이 본인도 겪었던 일이라며 여기저기서 성토를 했고, 왜 그런 일들이 벌어지는지 꽤 수긍이 가는 원인분석까지 나왔다. 일련의 일들을 보면서 몇 년 전 한동안 떴다방을 다니신 어머님을 떠올렸다.

한 1~2년 가량 어머님은 동네로 찾아오는 떴다방에 매일 출근도장을 찍으시며 다녔다. 실제로 출근도장을 찍으면 이벤트로 물건을 공짜로 받거나 싸게 살 기회가 주어졌다. 녹용을 팔러온 팀이 왔을 땐 단체로 관광버스를 타고 사슴농장까지 가셔서 사슴고기도 맛있게 얻어드셨고, 안마기 팔러온 팀이 왔을 땐 매일 안마받으러 다니셨다. 옥매트, 돌침대, 상조보험

등 매번 파는 상품이 바뀌는 듯 했고 홍보하러 온 팀도 몇 번 바뀌었다.

"처음에 녹용 팔러 온 팀이 돈 많이 벌었지~ 그때 돈 좀 있는 노인들이 천 만원 넘는 녹용들도 척척 사서 아주 난리도 아니었단다. 이 동네가 재개발되면서 땅 보상받아 부자 된 노인들이 많거든. 몇 억쯤 쌈짓돈으로 갖고 계신 분들이니 몸에 좋다니까 막 사들인 거지. 나야 딱 보니까 물건이 별로라서 안 샀다만... 아닌 말로 매일 놀아주지, 맛있는 간식 주지, 안마해주지, 좋은 데 구경도 시켜주지~ 자식도 그렇게 안 해주는데 얼마나 고마워! 노인들이 집에 있으면 잠밖에 더 자겠냐? 거기 와서 그렇게 놀고 노래 부르고 웃으면 그게 더 살 맛 나고 좋은 걸. 그래서 나도 친구들이랑 신나게 다녔지~"

"거기 다니실 때 사신 물건들 저희 지금도 잘 쓰고 있잖아요. 삼겹살 궈먹는 팬은 정말 잘 사신 것 같아요. 어쩜 고기 구울 때 연기도 안 나고 기름도 안 튀고!"

"그치? 그거 내가 딸네들한테도 줄라고 세 개 샀잖아. 그거 뿐이냐? 달걀찜 해먹는 냄비도 사고, 게르마늄 그릇도 사고~ 나야 그거 뭐 돈 얼마 안주고 이벤트 당첨돼서 싸게 샀지. 뭣보담도 집에서 잘 쓰고 있으니까 헛돈 쓴 거는 아니고."

"맞아요~ 어머님처럼 현명하게 떴다방 이용하시면 잘 즐기시고, 필요한 거도 사서 잘 쓰시는데, 안 그러신 분들이 많아서 피해가 크다네요."

"그러니까 잘 판단해야지. 좋은 말로 쏘삭인다고 다 사냐? 이것저것 따져보고, 아닌 것 같다 싶으면 별소리를 다 해도 딱 중심 잡고 안 사면 되는데, 할머니들이 주머니에 돈은 있고, 놀아주는 젊은이들은 안쓰럽고 하니까 막 사들이는 거지.

솔직히 나야 큰돈 안 썼어야. 거기서 과일이나 떡 같은 거 천 원 이천 원에 팔 때 그런 때나 싸니까 사가지고 왔지."

"덕분에 저희도 잘 먹었잖아요. 전에 한 번은 어머님이 어디 가시느라 못 가셔서 제가 대신 표 들고 가서 가래떡 받아와서 잘 먹은 적도 있는 걸요! 가보니까 재미나게 하대요~ 어른들 쏘옥 빠지시겠던데요~"

"맞어~ 그랬지. 그니까 그런 것도 잘 이용하면 좋은데... 앞뒤 안 가리고, 정에 끌려서 막 사면 문제가 되는 거여. 생각해 보면 웃긴 게 하나 있는데, 그 젊은이들도 딱 봐서 너무 나이 많이 드신 파파할머니들은 못 오게 한다? 돈 좀 쓰게 생겨야 입장시키고. 한 번은 머리 허연 할머니가 선물도 주고, 재미나게 놀 수 있다는 소문을 듣고는 지팡이 짚고 저 옆 동네에서 걸어걸어 왔단다. 근데, 행사장 입구에서 딱 하는 말이, 할머니처럼 연세 드신 분들은 오시는 곳 아니에요~. 오늘은 오셨으니 할 수 없지만, 다음엔 못 들어가니까 오지 마세요~ 그러더라. 집에서 가만 누워있는 것보단 나으니까 오셨겠지만, 얼마나 속으로 서러웠겠냐. 나이 먹은 것도 속상한데, 그런 데서까지 홀대를 당하고... 나이 들면 사람이 그렇게 아무 소용 없어야~"

결국 이야기의 끝은 나이 들면 돈이 최고고, 돈 있어야 대접받는 거고, 그래서 그런 떴다방에 쓸데없이 돈 퍼주지 말고, 잘 갖고 있다가 필요한 데 써야 한다는 것이었다.

그 이야길 들으면서 떴다방 말고도 어르신들이 재미지게 삶을 즐기실 뭔가가 절실하게 필요하다는 생각이 들었다. 자식들이 자주 연락하고, 찾아뵙는 것도 한 방법이기 하나 매번 그러기도 쉽지 않을 터. 요양원에 매년 흘러 들어가는 막대한 돈이 요양원 운영자들 배 불리는 데 쓰이고, 정작 어르신들은 제대로 먹지도 입지도 못한 채 학대당하는 경우가 많다는 것을 뉴스로 종종 접한다. 그렇게 잘못 쓰이는 돈을 떴다방과 벤치마킹해서 어르신들과 재밌게 놀아주고 선물도 드리는 일에 쓰이게 한다면 어떨까? 기왕 들어가는 돈, 어르신들께 도움이 되면 좋지 않을까? ^^;;

갈수록 늘어나는 노년 세대가 삶의 보람과 의미를 찾을 수 있도록, 외로움과 지루함에 지쳐있다 떴다방의 피해자가 되어 평생 모은 돈을 혹은 자식들이 드리는 용돈 아까워서 다른 데 못 쓰고 아껴둔 돈을 사기 피해로 홀랑 날리는 일이 없도록, 노년 세대에 맞춤한 실속 있는 프로그램과 인프라가 필요하다.

사자 한 마리와 미친~년

- 웃으며 사진 찍는 법

나는 머리숱이 많은 편이다.

그나마 둘째 낳고 나서 머리 감을 때마다 어마무시하게 머리카락이 빠져서 이러다 대머리 될 날이 머지않았겠구나~ 하며 공포에 떨던 해가 몇 년 계속됐음에도 내 머리숱은 여전히 많은 편에 속한다. 그래서 머리 한 번 감고 말리느라 머리를 풀고 있으면 그야말로 볼만하다.

한 번은 아침 식사하는 밥상머리에서 머리 말리느라 풀고 있었더니 어머님께서 나를 척 쳐다보시곤

"내 앞에 사자 한 마리가 앉아 있고나~

엄마 머리 좀 봐라~ 완전 사자머리다!^^"

하셔서 밥 먹다 밥풀을 흘리며 걀걀걀걀~ 웃은 적이 있다.

지난번에 14년간 동고동락하며 우리 다섯 가족을 태우고 달리던 자동차 '흰둥이'를 중고차로 보내기 전에 가족사진을 찍어 남기자고 남편이 제안했다. 일요일 저녁 늦게 지하주차장

가는 엘리베이터 안에서 이번에도 남편이 우리 오랫만에 가족 모두 엘베 탔으니 기념사진 찍자며 셀카봉을 높이 쳐들고 사진 찍겠다고 포즈를 취했는데... 표정들이 다 얼어있어서 "뭥미? " 싶은 때 어머님의 한 마디.

"미친~년~!"

순간 또 걀갸리 웃느라 다들 무장해제되어 함빡 웃음 짓는 엘베 안 가족사진이 나오기도 했다. 나중에 흰둥이랑 가족사진 다 찍고 올라오는 엘리베이터 안에서 한 번 더 셀카봉 도전하면서는 어머님이 미친년에 이어

"엿장시~~~"

하셔서 또 자지러지게 웃었다. 가끔 이런 유머로 웃음을 주시는 어머님 덕분에 우리는 뜬금없이 포복절도하며 웃는다.

김치 대신 외쳐보라!

"미친~ 년~~~~" 하고.

이게 민망하면

"엿장시~~~"

웃는 모습 사진에 담기, 확률 100% 보장한다!

말 없는 남자 VS 말 많은 남자

- 피는 못 속여~

말 없는 남자의 전형으로 흔히 하는 말이 "밥 먹자", "자자" 집에 와서 마누라에게 이렇게 딱 두 마디밖에 안 한다고 흉을 본다.

시골에서 캐온 도라지를 어머님과 다듬으며 (도라지 다듬는 건 언제나 고역이다. 시중에서 껍질 벗긴 채 파는 도라지값이 비쌀 만도 하다고 동의하며 어머님과 나는 깊이 고개를 주억거렸다. 심어서 3년은 길러야지, 힘들여서 캐야지, 물에 불린 뒤에 칼 들고 껍질 벗겨야지, 삶아서 찬물에 한 번 우려내야지~ 이 과정을 다 거쳐야 나물 만들기 전단계가 끝난다) 오랜만에 마방춘(MBC)에서 하는 서프라이즈를 보는 중이었다.

중국의 노부부 이야긴데 할아버지가 평상시 하는 말이 '밥 먹자, 자자' 단 두 마디뿐이라서 너무 재미가 없다며 할머니가 툴툴대자 어머님께서 티비를 향해 대번에 하시는 말씀,

"나는 그라고 살믄 시상 편하겠다."

어머님의 뼈있는 한 마디에 막 웃다가 생각나서 드린 질문.

"아버님은 말씀이 많으셨어요? "

"오메~~~ 말을 말아라~ 징그럽다! 내가 오죽하면 저 할머니처럼 딱 두 마디만 듣고 살믄 시상 편하겄다고 하겄냐~"

"어느 정도로 말씀이 많으셨는데요? "

"밥상에 달걀후라이를 딱 올린 날이믄 이 달걀 어디서 샀냐고 물어 본다잉? 그럼 어디서 샀어요~ 하고 말하겄지? 가게 이름 듣고 자기 맘에 안 드는 가게에서 산 날이면 당장에 달걀접시가 마당으로 날아가뿌렀어야."

"아버님도 차암... 무슨 달걀 사 온 가게까지 알아내서 맘에 들고 안 들고는 따지셨대요? "

"그랑께 말이다~ 그라니 다른 거는 오죽했겄냐? 아주 징글 징글하다. 주는 밥 먹고, 밥 다 묵었으면 이불 깔고 자면 됐지~ 뭔 참견을 그리도 하는지~ 난 말 없는 남자가 젤로 좋드라. 얼마나 조용하고 좋아~ 신간이 다 편하지!"

말하기 좋아하시는 아버님과 과묵하신 편인 어머님 사이에서 태어난 내 남편은 어떤가 생각해 보니, 아무래도 아버님 유전자가 탁월하게 작용한 듯하다. 딸보다 아들이 더 따발따발 말하기 좋아하는 것도 그 유전자의 힘인가?

역시 피는 못 속인다^^;;

월남양반~ 우리 놀러 왔소!

– 당신의 택호는?

지금은 결혼을 해도 이름을 부르는 경우가 대부분이지만 몇십 년 전만 해도 남녀가 결혼을 하면 이름을 막 부르기가 거시기해서 출신지에 따라 택호를 지어 이름을 대신했다. 주로 여자의 친정 지명을 따르는데, '출신지+댁'의 형태이다.(관직이나 당호 등을 사용하기도 함) 남편을 부르는 이름 역시 부인의 택호를 기준으로 '~양반'으로 칭해진다.

그런데 실제로는 시댁에서는 부인의 출신지에 따라, 친정에서는 남편의 출신지에 따라 택호가 지어지므로 한 사람이 2개의 택호를 갖고 있는 셈이라고 한다.

나의 경우를 예로 들자면 해남 출신의 내가 서울의 김씨 집안으로 시집을 갔으니 시댁에서 나는 '해남댁', 남편은 '해남양반'으로 택호가 정해지지만, 반대로 친정에 가면 나는 '남편의 출신지+남편의 성씨+실이'로 '서울 김실이', 남편은 '출신지+성씨+서방'으로 '서울 김서방'이 되는 것이다. 그런데 대전으로 내려와 산 지 십수 년이 넘었으니 이제는 '대전

김실이, 대전 김서방'이 맞겠다.

엄마는 같은 해남의 다른 면으로 시집을 오셨는데, 계곡면 방춘리가 고향이시라 계곡댁 혹은 방주간댁으로 불리셨다고 한다. (방죽을 막아서 땅으로 만든 곳이라 방주간이라 불리던 곳을 행정지명을 한자로 하면서 '방춘리'가 되었다고 함)

그런데 우리집 바로 위에 사시던 큰할머니께서도 엄마랑 같은 마을에서 시집을 오셨다. 이처럼 한 마을에 같은 동네에서 시집온 며느리가 두 명 이상일 경우, 같은 택호를 사용하면 변별성을 가질 수 없으니까 서로 중복되지 않도록 더 큰 곳의 지명이나 더 작은 곳의 지명을 붙이기도 한단다. 그래서 두 분이 같은 공간에 계시면 큰할머니는 방주간댁, 엄마는 계곡댁으로 불리셨기에 엄마 택호는 친정 이름 기준으로 해도 두 개가 되는 셈이다.

하지만 엄마는 택호로 불리기보다 누구 엄마로 불리는 경우가 더 많았다고 하신다. 엄마 말씀으론 민촌과 반촌의 차이인 것 같다고 하시지만(엄마 고향에선 다들 택호로 불렀는데, 시집을 와서 보니 이 동네는 안 쓰더라고 하시면서 아무래도 민촌이라 그런 것 같다고 하셨다. 택호를 부르는 것이 반촌의 풍습이라고 생각하시길래, 그런가? 하고 자료를 찾아보니 택호는 반촌 민촌 가리지 않고 다 썼다.) 아무래도 시대가 변했기 때문이리라. 젊은 엄마들이 많은 동네에선 택호 대신 점차 아이들 이름을 붙여서 부르는 경우가 많았다.

내친김에 할머니의 택호를 여쭈니 '몽몰댁'이라고 하셨다. 그 택호를 듣는 순간 사람들이 할머니를 몽몰댁이라고 부르던 일들이 바로 기억났다. 할머니의 고향은 유네스코 세계문화유산에 등재된 천년 고찰 '대흥사'가 있는 마을이다. 행정명으론 해남군 산삼면 구림리. 그런데 아마도 부락별로 불리는 이름이 따로 있었고, 그 부락 이름이 '몽몰'이었던 모양이다. 우리 할아버지는 그래서 '몽몰양반'이라고 불리셨다.

외할머니의 택호는 운동댁이라고 하셨다. 계곡면 방춘리 옆에 대운리(6만 7천평의 녹차밭이 있는 곳. 태평양 자회사가 운영한다)라는 마을이 있는데, 그 마을 이름을 그곳에서 택호로 부를 때 '운동'이라고 불렀단다. 아, 정말이지 들으면 들을수록 오묘한 택호의 세계!

어머님은 강진이 고향이시지만 시어머님이 같은 동네분이라 그런지 시댁에서든 친정에서든 서울댁 또는 서울떡이라 불렸고, 아버님은 서울손이라고 불리셨단다.

그럼 어머님의 시어머님 택호는?

사실 이 택호에 대한 이야기를 하게된 계기는 시할머님의 택호에서부터 비롯되었다. 시할머님의 고향은 강진군 성전면사무소가 있는 죽전리인데 죽전댁이라 부르기가 거시기해서 '월남댁'이라고 불렀다고 한다. 그래서 시할아버님의 택호는 자연스레 '월남양반'이 되셨다.

월출산이 바로 건너다보이는 영암군 덕진면 백계리의 키 크고 잘 생기고 입담 좋으셨던 시할아버님은 근방에 모르는 이가 없을 정도로 인기가 어찌나 좋으셨던지 일 끝난 저녁이면 동네 사람들이 자주 놀러 오셨다고 한다. 저녁 먹고 방안에 앉아 있으면 밖에서 "월남양반~ 우리 놀러 왔소!"하는 소리가 창호지 문 안으로 우렁차게 들려온다.

문을 열어보면 동네 사람들(대부분 아줌마들)이 떼로 놀러들 오셔서 밤 10시까지 왁자지껄 할아버지와 이야기를 나누며 놀다 가셨다고 한다. 할머니는 말씀을 잘 하실 줄 모르는 양반이라 그냥 옆에 계시고, 워낙 말씀을 재밌게 하시는 할아버지께서 혼자 그 많은 이들을 다 상대하셨다고.

때론 저녁을 막 차리려고 할 때 들이닥치실 때도 있는데,

그럼 할아버지께선 같이 먹게 저녁을 차리라고 하셨단다.

　미안해진 동네사람들이

　"객식구가 한동자나 와서 밥 적으믄 어짜까? "

　하면 옆에서 시할머님이 손사래를 치시면서

　"우리 며늘아가 손이 커서 밥 안 적으꺼싱께

　　걱정 하들들 마쇼잉~ "

　하시곤 두레상에 모두 둘러앉아서 맛있게들 드셨단다.

　생각만 해도 참 재미나고 정겨운 풍경이다. 그 많은 손님들 밥시중 드시느라 새댁이셨던 어머님은 힘드셨겠지만 말이다.

　"안 힘드셨어요? " 하고 여쭈면 그땐 다 그러고 살았니라 하시며 웃으신다.

　어머님의 친정할머니 택호는 외촌댁이셨다고 한다. 어머님의 어머님은 월평댁. 외촌댁 할머니는 월평댁 며느리를 어찌나 미워하셨던지 주무시다가도 꿈속에서 막 며느리 욕을 냅다 하시곤 하셨다고. 월평댁 며느리는 동네에서 다들 효부라며 칭송이 자자했던 분이셨지만, 유독 시어머님 눈에는 못 잡아먹어서 시원찮은 며느리였다니 우째 그랬을까나.

해남댁

방주간댁

계곡댁

몽몰댁

월남댁

빵꾸와 빠나나

- '세탁삥'이라고 들어는 봤나?

길 가던 중에 오백 원짜리 동전이 보이길래 '웬 횡재냐?'하면서 속으로 희희낙락 좋아하던 김모씨. 얼씨구! 바지 뒷주머니에 구멍 났네? 알고 보니 자기 주머니에서 빠져나간 동전이었단다. "바지 구멍 좀 어떻게 해줘~"하며 남편이 며칠 전 내게 바지를 맡기고 출근했다.

아침 집안일을 마치고 거실에서 빵꾸난 바지를 붙들고 씨름 중인데 어머님께서 나오셨다. 여차저차하여 지금 바지 주머니의 구멍을 기우고 있다고 말씀드리니,

"요즘엔 카드들을 쓴께 눈 씻고 찾아봐도 십 원짜리 하나 안보이드라~ 그란디 오백 원이면 횡재는 횡재네. 지 바지에서 나가서 탈이지~" 깔깔 웃으시며 한 마디 덧붙이신다.

"예전엔 빨래 할라고 주머니를 뒤지다 보면 주머니에서 동전이랑 지폐가 나오기도 하거등. 그런 거는 '세탁삥'이라고 아무한테도 말 안 하고 혼자 꿀꺽 했는디~ 그게 은근 쏠쏠했지야."

아버님께서 생활비를 잘 주시지 않아, 어떻게 하면 생활비를

타서 쓰나 고민하시던 어머님께 빨래속에서 나온 돈은 그야말로 횡재셨을 거다. 큰돈은 아니었겠지만 그런 돈이라도 수중에 들어올 수 있어 감지덕지하셨을 어머님의 표정을 떠올리면 빙그레 웃음이 나기도 하고, 다소 짠한 마음도 들고 그런다.

가장으로서의 역할은 나몰라라 하시면서, 가장으로 최고 대우를 받고 싶으셨던 아버님. 세 아이를 키우기 위해 가장 역할을 자처하시며 생활을 꾸려가셨지만, 늘 아버님의 폭언과 폭력 속에 폭폭한 삶을 사셨던 어머님.

"내가 니 시아버지 자리 되는 양반이랑 살면서 겪은 일을 한 자 한 자 글로 써서 그 종이를 이어 붙이면 쩌어기 63빌딩도 넘을 것이다."

남들에게 인심 쓰기 좋아하고, 마을 일엔 그렇게 부지런히 나서셨다는 아버님은 정작 가정에는 소홀하셔서, 집에 수도가 들어오지 않아 물을 길어다 먹던 시절에 한 번도 물을 길어오신 적이 없었단다. 임신해서 배가 불렀을 때도, 애 낳고 아직 몸을 가누기 힘들 때도 어머님이 직접 물을 길어오셔야 했을 정도니... 옆집 아줌마가 보기 딱해서 자기 남편에게 부탁해 자기네 집 물 길어올 때 어머님댁으로도 한 통씩 물을 길어다 주시곤 했을 정도였는데, 그나마도 아버님이 의심의 눈초리로 쳐다보니 얼마 가지 못했다고.

"세상에~ 해도 너무 하셨네요! 어떻게 임신한 아내한테 물 지게를 지게 해요? 설마~ 하니 물통 져다 나를 시간이 없으셨던 거예요? "

"없긴~ 남의 집 마누라가 마당에서 빨래 널고 있응께, 그 시절에 귀한 빠나나까지 사다 줌시롱 고생한다고 너스레 떨 만큼 남의 일 참견하기 바빴재."

"엥? 물도 길어다 먹던 시절에 빠나나요? "

"하이구~ 난 그 시절에 빠나나 귀경도 못해봤다. 내가 봤간? 빠나나 얻어먹은 마누래가 어느 날 찾아와서는 말 안 하고 있기가 미안해서 말한다고 귀띔해줘서 알았재."

허파가 뒤집어질 일을 어머님께선

"맛있게 드셨으면 됐지요~"

하고 마셨단다. 거그서 뭔 말을 더 하겠느냐고 하시면서.

몇 년 전부터 어머님의 뜻으로 설이랑 추석 때 차례를 안 지내기로 한 뒤로, 결혼 전 돌아가신 아버지에게 여전히 마음의 앙금이 남은 남편은 종종 아버님 제사도 치르지 말자고 한다. 하지만 내가 나서서 워워~ 그건 아니지~ 하며 잘 지내고 있다. 남편이 하지 말자는 아버님 제사를 내가 해야 한다고 우기는 건, 아버님께서 돌아가신 뒤로 집안일이며 자식일이며 뒤늦게 돌보고 계신다는 느낌을 여러 번 받았기 때문이다.

한창 취업이 어려운 시기에 남편이 대기업에 취직한 것도, 15년 근속 뒤에 잠시 백수기를 거쳐 재취업에 성공한 것도, 어머님의 세 자녀가 다 제 짝을 만나 결혼해서 사는 것도, 목돈이 필요할 때 오래전 꿍쳐놓으신 아버님 유산을 내가 우연히 발견해서 삼남매가 요긴하게 쓰게 된 것도 다 돌아가신 아버님이 돌봐서라고 생각한다. 뭐, 생각하기 나름이지만 (어머님께서 정말 복 받으실 일들을 많이 하셨으니까 다 어머님 덕분이기도~) 기왕 지내는 제사, 감사한 마음으로 지내고 싶다. 친정에 비해 시댁 식구들의 왕래가 적은 편인데, 이렇게 제사라도 있어야 한 자리 모여 얼굴 보고 이야기 나눌 수 있는 점도 좋다.

어머님 살아계신 덕분에 어머님 생신 때마다, 아버님 제사 때마다 삼남매가 한자리에 모인다. 나름의 앙금과 안 좋은 추억들이 있어도, 오랜만에 모인 자리는 반갑고 즐겁다. 12월 말에 있을 아버님 제사도 코로나 잘 피해서 안전하게 치를 수 있기를 바란다.

올해는 죄송합니다~ 아버님

- 코로나 시대의 제사

어제는 아버님 기일이었다.

올해도 작년에 이어 가족들 모이기 좋게 토요일로 당겨서 하기로 한여름 어머님 생신 모임 때 계획을 세웠다. 그리하여 제사 2주 전부터 생선을 사다가 손질해서 말리고, 물김치를 담고, 봄가을에 말려서 갈무리해둔 나물들은 닷새 전에 큰 대야에 가득 담아 물에 뿔리며 착착 제사 준비를 하던 중이었다. 제사 1주일 전 코로나 청정지역이었던 해남에(11월까지 확진자 0명), 그것도 우리 마을 근처의 학교 지원들 가운데서 확진자가 나온 바람에 걱정이 돼서 친정엄마랑 전화 통화하는 중에 이런 이야기가 나왔다.

"그랑께 걱정은 걱정이다야. 쩌그 동네 아짐 하나는 작년에 시어머니 돌아가시고 이번이 첫 제산디 코로나 무섭다고 시누이들 오지 말라고 했다더라. 자기네들끼리 알아서 제사 치른다고. 외지 사람들은 오지 말라고 마을 사람들이 현수막까지 걸어놓고 있는 판이라..."

아무리 그래도 친정엄마 첫 제사인데 오지 말라고 한 거는 너무한 거 아닌가 싶기도 했는데, 전국에 흩어진 친척들이 제사 지내느라 한자리에 모였다가 코로나에 걸리면 그것도 아니 될 일이다 싶기도 했다.

'첫 제사도 코로나 조심하느라 오지 말라는 시국에 우리집은?' 하는 생각이 문득 들어서 마침 부엌에 계시던 어머님께 그 이야길 전해 드렸지만 가타부타 아무 말씀이 없으셔서, 제사 준비는 착착 진행되어갔다.

그런데 아버님 제사 예정일 D-3일 되던 아침 식탁에서 어머님이 폭탄선언을 하셨다.

"어제도 대전에서 확진자가 31명이나 나왔다 그라고, 쩌그 서울 경기는 수백 명씩 나오는 판잉께 아무래도 올해 제사는 접어야 쓰겄다."

"에이~ 아무리 그래도 어떻게 제사를 안 지내요? 생선이랑 나물이랑 물김치도 다 준비했고, 아가씨들 줄 음식들도 많이 싸 두셨잖아요."

베란다엔 집에서 만든 된장과 고추장, 들깻가루, 새우젓, 무말랭이 오징어무침 등이 가득 든 커다란 사과 박스 두 상자가 대기 중이었다.

"옛날부터 집안에 환자가 있으믄 제사를 안 지냈단다. 지금은 나라 전체가 환자들 천진께 올해는 제사 건너뛰고, 내년에 더 잘 지내믄 되지야. 멀리서 애들 왔다가 뭔 일 날까 봐 걱정이다."

어머님 속마음의 방점이 어느 쪽에 찍혀있는지는 모르겠으나, 연말 모임이나 회식을 비롯해 5인 이상 모이지 말라는 정부 방침에 부합하는 바라 일단 아가씨들 내려오지 않는 건 대환영!

"아가씨들 안 오니까 우리끼리 아버님 기일에 맞춰서 제사 지내면 되겠네요~ 손 많이 가는 음식은 거진 했으니 몇 가지만 더 준비해서 지내요, 어머님"

아버님 제사는 제 때에 꼭 모시고 싶은 게 나의 솔직한 심정이었다.

"안 하기로 했음 말재 뭘 또 따로 해?

그냥 올해는 제사 접자!"

어머님의 단호한 말씀. 이미 마음을 정하신 어머님의 뜻이 확고하시기에 더 이상 말씀을 못 드렸다. 출근하는 남편과 함께 있는 아침 식사 시간에 왈가왈부하면서 굳이 시끄러운 일을 만들고 싶지 않기도 했다.

남편은 나와 어머님 사이에서 아무 말 없이 밥 먹기 바빴다.

어머님 편을 들기도 내 편을 들기도 난감한 모양이었다. (아님 진짜 밥만 먹느라 바빴거나... 후자에 500원 건다!)

작은아가씨하곤 이미 그 전날 이야기가 끝나신 듯했고, 출근길의 큰아가씨가 전화를 해서 다시 한번 확인하며 올해 제사 안 지내는 것으로 결론이 났다.

결혼하고 20년 넘게 꼬박꼬박 지내온 제사를 안 지내려니 영 마음이 불편했다. 엄마랑 통화하며 올해 아버님 제사를 안 지내게 됐다고 하니,

"어찌께 그란대? 제사 안 지내믄 너야 편하겠지만... 새로 뫼랑 국만 지어서 올리드라도 간단히 제사를 지내믄 어짜겠냐? "

하신다. 그래서 어머님께 다시 한번 말씀드려봤으나 어머님께서는 장고 끝에 내린 결정을 뒤집으시는 경우가 없으신지라 처음 하신 말씀 그대로 내년에 더 잘 지내면 되니까 올해는 그냥 넘어가자고 종지부를 찍으셨다. 그리하여 결혼하고 21년 만에 처음으로 아버님 제사를 치르지 않은 채 기일을 넘기게 됐다.

아가씨들 줄 물건들은 부랴부랴 택배로 보내고, 불려놓은 나물은 반 나눠서 보름 때 쓸 거는 냉동실로 들어가고, 말려놓은 생선도 반은 설에 쓰자며 냉동실에 집어넣고 반만 지짐해

서 먹었다. 제사에 맞춰 장 보려고 냉장고를 비워두고 있었는데, 물김치통이 들어가 자리를 메꿨다. 그리곤 성탄절 연휴를 띵가띵가 편하게 지내며 까무룩 잊어버리고 있었는데...

어젯밤 잠시 답답한 마음이 들어 창문을 열고 하늘을 쳐다보니 보름 가까워진 달이 하얗게 빛나고 있었다.
"앗! 그러구보니 오늘이 아버님 기일이네!"
아버님 기일은 보름을 하루 앞둔 14일.
평소 같으면 정성껏 준비한 음식들로 떡 벌어진 제사상을 받으실 시각에 물 한 사발도 얻어 드시지 못한 채 지나가게 생겼으니 좀 서운하시겠단 생각이 들었다. 그래서 두 손을 모으고 달을 향해 속으로 빌었다.

'아버님 죄송해요~ 올해는 코로나 때문에 식구들이 모이기 힘들어 제사를 안 지내게 됐어요. 내년엔 올해 못한 것까지 더 신경 써서 잘 지낼게요. 부디 그럴 수 있게 코로나 썩 물러가게 해 주세요~~~!!!'
올해는 코로나로 사상 초유의 사태들이 많이 있었는데, 이렇게 제삿날 풍경까지 바꿔놓았다. 코로나 때문에 제삿밥도 못 얻어 드신 아버님이 그 괄괄하신 성정으로 코로나도 팍팍 때려잡아 주셨음 좋겠다. 그래서 내년엔 아주 걸게 제사상을 차려드릴 수 있기를 바라고 또 바란다.

청산개비 꼼짝 마라!

- 머리카락 꼬시르는 날

"자~ 이제 봐라잉. 하나 둘 셋! 때린다!!"

우르릉 쫘광~~~

어머님께서 숫자를 세는 소리에 맞춰 천둥소리가 요란하게 울린다. 멀쩡하던 하늘이 갑자기 시꺼매지더니 번개가 내리치고 우레 소리가 무섭던 날이었다.

"옛날에는 이런 날 머리카락을 태웠단다. 평소에 모아뒀다가 꼭 뇌성벽력 치는 날에 화롯불에 태웠지야. 너는 기억 안 나냐? "

"전혀 안 나는데요~ 할머니랑 같이 살았어도 벼락 때리고 비오는 날에 머리카락 태우시는 건 한 번도 못 봤어요."

"그냐? 나 어릴 땐 천둥번개만 치면 우리 할머니가 머리카락을 화로에 꼬실라서 집안에 노린내가 진동했단다.

'할미! 냄새 나~ 그것 좀 꼬시르지 마!' 하믄 '이래야 청산개비가 못 찾는단다~' 함시롱 태우셨재."

"청산개비가 뭔데요? "

"정확히는 모르겠다만... 할머니 말씀하시는 폼으로 봐서는 죄 있는 사람 찾아 댕기는 요물단지 같은디~. 천둥번개가 요란한 날이믄 '온 백성이 한마음 한뜻이란다.' 하심시롱 머리카락을 꼬시르셨재."

"에? 그게 무슨 말이래요? "

"죄가 있건 없건 천둥번개 치믄 무서워하는 것은 모든 사람이 다 똑같다는 말 아니까? 베락 때리고 천둥 울믄 엥간히 무섭잖애~ 죄 없어도 벌벌 떨게 된께 하는 말이재. 전에는 머리카락을 아무데나 안 버렸어야. 동그란 박 속을 파고 작은 구멍 하나 만들어선, 토방 한쪽에다 걸어두고는 머리 빗을 때마다 나오는 멀카락을 손가락에 딸딸딸 말어. 옛날 사람들은 머리카락이 길었응께~ 그라믄 공처럼 동그랗게 말린 머리카락을 박 속에 쏘옥 집어넣었재 그렇게 1년이고 2년이고 모아뒀다가 오늘같은 날 꼬시르면서 청산개비 오지말라고 주문처럼 외우셨더란다."

"머리카락 꼬시르면 고게 안 오나 보네요? "

"노랑내 풀풀 난께 냄시가 싫어서 안 오는 갑재.
멀카락 꼬시르는 냄시가 보통이간? "

"그나저나 그럼 머리카락 꼬시르는 건 한여름에나 가능했겠네요? 천둥번개 치는 날만 꼬시르니..."

"화로 옆에 박을 가져다놓고, 그 구멍 속에서 손에 집히는 대로 꺼내서 꼬실랐응께 몇 년 된 머리카락도 꼬시르고, 며칠 전에 빗어둔 것도 꼬시르고 그랬겄재."

"옛날 분들은 머리카락 하나도 함부로 안 버리시고 참 요긴하게 쓰셨네요."

"아이구야~ 몇 년씩 묵은 머리카락 생각만 해도 드럽다! 바로바로 버려야재 뭐 할라고 그런 걸 모아놓고 살 것이냐?"

머리 감은 날이면 유독 머리카락이 많이 빠지는 나는 이번 기회에 나도 머리카락을 어디다 차곡차곡 모아놨다가 뇌성벽력 요란스런 날, 가스불에 한 번 꼬실라볼까나? 했다가 깔끔하신 울 어머님 기함하실까 봐 포기했다. 혹 청산개비한테 발각되어 그동안 죄지은 거 닦달당할 게 무서우신 분은 머리카락 잘 모셔두었다가 천둥번개 칠 때 홀랑 꼬실라 보시길~^^

＊ 천둥벼락 치는 날 머리카락 태우는 풍습에 아래와 같은 의미를 부여하시는 분이 계시더군요.

- 신체발부는 수지부모라, 신체와 관련된 모든 것을 소중히 여겼고, 자연을 두려워하였기에 착한 심성을 간직할 수 있었던 우리들의 옛날 이야기지요 -

111

머리카락 한 올도 함부로 버리지 않는 것엔 부모에 대한 효가, 천둥 번개 소리에 청산개비 이야길 두런두런하면서 모아둔 머리카락을 태우는 것에는 자연을 두려워하는 선한 심성이 담겨있었음을 알 수 있었어요. 조상들이 몸소 보여주신 삶의 철학에 다시금 머리가 숙여집니다.

제삿날 풍경

-닭 잡고 떡하고

음력 6월 24일. 친정 할아버지 제삿날이다. 양력으로는 가장 더운 8월이라 할아버지 제사음식을 준비할 때는 정말 땀을 비 오듯 하며 음식 장만을 하곤 했다. 제삿날 당일 오신 친척들과 아이들로 집안은 바글바글(최소 30명), 선풍기를 하도 돌려서 열받은 선풍기가 도리어 열풍을 뿜어내던 일, 자정이 될 때까지 기다리느라 눈을 비벼가며 졸음을 쫓고, 매캐한 모깃불을 펴도 극성스레 달려드는 모기를 쫓던 밤이 떠오른다.

지난여름이 일이다. 해남에 폭염주의보가 내렸길래 더위에 괜찮으신지 다음날 안부 전화를 드렸다가 할아버지 제사 소식을 들었다. '아, 벌써 그날이 됐구나!' 어릴 땐 집에서 가장 큰 행사 중 하나였지만 결혼하고 나니 날짜도 잊어버리기 일쑤다.

엄마는 다행히 제사 당일에 이슬비가 내려서 시원하다시며 몇 가지 더 장 볼 게 있어서 장에 나갔다가 들어가시는 길이라고 하셨다. 엄마랑 통화하는 소리를 옆에서 들으시던 어머님께서 통화가 끝나자 그러신다.

"오늘이 할아버지 제삿날이여? 이 더위에 제사 치르시느라 욕보시네. 할머니 제사도 여름 아니냐? "

"할머니는 봄이요. 벚꽃 피고 복사꽃 필 무렵 돌아가셨어요."

"그래~ 두 분 돌아가신 지 오래되셨을 텐데, 자손들 힘들게 따로 하지 말고 제사를 합치재. 나 죽으면 느이 아버지 제사랑 합쳐 부러라. 아무 날이나 늬들 모이기 좋은 날로~."

전에도 하셨던 말씀을 다시 하시며 어머님 어린 시절의 제사 풍경을 이야기해 주신다.

"옛날엔 제사도 많았지야. 닭 잡고 떡하고. 요즘이야 가게에서 털 다 뽑아나온 닭 사다 쓰고, 떡집에다 쌀만 맡기면 해오는 떡, 얼마나 편하냐? 떡쌀 씻어서 불리고, 떡시루에 앉혀서 가마솥에 불 때고, 이 더운디 말이다. 인절미할라믄 또 떡메로 쳐야쓰고~ 아이구 생각만 해도 징하다."

"그러게요. 옛날 분들은 정말 생각하면 할수록 그 징한 것을 어떻게 다 하고 사셨나 몰라요. 지금은 전도 다 사다가 젯상에 놓는 세상인데. 아예 모든 음식을 제사상차림 전문회사에 맡기기도 하구요"

"그런 데다 맡긴 것이 오죽하겠냐? 돈은 엄청 드는 것 같더라만 먹자껏도 없게 생겼든만. 난 지금도 제삿날 아침 되믄 우리 엄마가 풀 멕여서 빳빳하게 다림질한 한복을 차려입으시고, 머리엔 새하얀 수건을 두르고- 음식에 머리카락 들어가믄 못 쓰께 - 정게로 들어가시는 모습이 눈에 선하다."

"와, 제사 때마다 그렇게 한복 입으시고 음식을 만드신 거예요? 닭은 어떻게 잡으셨대요? "

"닭? 우리 엄마는 고기는 일절 입에 대도 안 하시는 분이라 닭 잡는 일도 못 하셨어야. 그런 일은 아부지가 하셨재. 지금이야 아무 때나 닭 먹고잡을 때 먹지만서두 옛날에야 그랬냐. 사위들 와야 닭 잡고, 제삿날이나 명절날 되어야 잡았재. 우리 아부지가 유일하게 부엌 출입하실 때가 그런 때 닭 잡는 일이셨단다."

"우리 집도 닭은 아빠가 잡으셨던 거 같긴 하네요. 삼촌들이 잡거나. 마당에서 돌아다니는 닭 몰아서 날개 죽지 잡고, 두 다리 새끼로 묶어서 칼로 목을 좀 딴 다음 나무청에 거꾸로 매달아놓곤 그 아래 옴막한 대접을 받쳐놓으시던 게 생각나요. 거기에 닭피가 또옥똑 떨어지다가 더이상 안 떨어지면 그릇에 모인 시뻘건 닭피를 남자어른들이 나눠마셨는데, 그 징

그러운 걸 뭐 좋다고 드셨나 몰라요."

"닭피뿐이냐? 창자도 먹고, 닭똥집도 먹고, 버릴 게 없었재. 우리는 아부지가 닭 잡아서 개울가에서 손질하고 계시믄 그 앞에 가만히 앉아서 기다리고 있었지야. 닭발 언제 주시나~ 함시롱. 다른 건 다 어른들 드시고, 상에 올려도 닭발은 우리 몫으로 주시곤 했응께. 개울 옆에 있는 큰 도팍에다가 창자를 꺼내서 뽀끔뽀끔 거품 안날 때까지 빨아서 주무르고, 똥집에서 똥도 탈탈 털어 깨깟이 씻어내고 함서 닭 손질하시는 아부지 앞에 육남매가 줄줄이 쪼그리고 앉아서 언제 주실라나~ 하고 보고있으믄 '옜다~ 여깄다 닭발!'하고 주시걸랑. 그람 좋다고 들고 가서 소금 잠 뿌려서 석쇠에 올려가꼬 숯불에 지글지글 궈먹으믄 어찌나 맛나등가~ 입은 여섯이고 다리는 두 개뿐잉께 쪼금쪼금 나눠먹니라 더 맛있더라."

"저희집도 닭발 칼로 조사서 양념해가지고 석쇠에 궜는데, 그거 다 어른들 술안주라 어쩌다 얻어먹으믄 맛나긴 하더라구요. 뼈까지 오독오독 잘근잘근 씹어먹었는데... 전에는 닭을 집에서 다 키웠잖아요. 그러니 좀 푼하게 먹여도 좋았을 것을."

"쌀도 귀한디 고기를 그렇게 푼하게 먹을 수 있간? 제삿날이믄 엄마가 애들보고 당부하시는 말씀이 '밤에 자지 말고 제

117

사 지낼 때까지 기다렸다가 쌀밥 한 그릇 먹고 자그라잉~' 그
랬당께. 평상시에는 쌀밥 귀경도 못하고 보리밥이나 먹고 산
께, 제삿날에나 쌀밥 먹어보라고.

닭은 사위나 와야 잡았당께. 고모부 두 분이 계셨는디, 그
분들 오셔야 닭고기 냄새를 맡았재. 그나마도 살은 다 손님상
나가고, 살 쪼카 붙은 뼈따구로 한솥 가득 미역국 끓여서 먹
으믄 그것도 고기기름 들었다고 얼마나 맛있었는 줄 아냐?
그라고 닭을 먹을라고만 키운 것이 아니재. 달걀 낳으면 달걀
팔고, 뼁아리 때 사다가 키워서 웬만큼 크면 장에 가져다 팔
고 그랬응께. '가꼬'라고 쇠로 만든 망이 있어. 날개죽지를 딱
모아 묶어서 옴쭉달싹 못하게 한담에 가꼬에 넣어가꼬 장에
가서 팔았재. 그렇게 해서 집에 필요한 비누도 사고, 신발도
사고~"

"저 클 때만 해도 집에서 잡아묵을라고 키웠는데, 어머님 때
는 일용할 돈으로 만들라고 닭을 키웠네요. 참 근데 그거 아
세요? 닭도리탕이 순우리말이래요. 일본말이 아니라."

"일본말잉께 닭볶음탕이라고 고쳐 부르라고 난리든만
아니래? "

"네~, 닭을 부위별로 도려내서 만든 탕이라 닭도리탕이래요. 일본말로 도리가 '새'라서 사람들이 일본말인 줄 잘못 안 거래요. 할머니의 할머니, 그 위에 할머니때부터 닭도리탕이라고 불렀다네요. 일제시대 이후에 생긴 말이 아니라."

"그려? 인자 닭도리탕이라고 불러도 쓰겄구만. 하도 일본말이라고 뭐라 해싼께 눈치 보며 닭볶음탕이라고 고쳐 부르느라 심들었는디. 난 시골 살 땐 닭도리탕이 뭔줄도 몰랐다. 서울 올라와서 처음으로 이런 음식이 있구나~ 하고 알았재. "

"저두요~ 광주 살 때도 못 먹어봤던 음식을 서울 와서 처음 먹었어요. 특이나 아범이랑 연애할 때 집에 놀러간 날 언젠가 어머님이 해주신 닭도리탕이 진짜 맛있었어요. 제대로 먹은 닭도리탕은 그게 처음이었을 걸요, 아마."

그뿐이랴. 어머님표 황석어젓갈도 최고였다. 난 지금도 '어머님의 요리', 하면 닭도리탕과 황석어젓갈을 떠올린다.

"날 좀시원해지믄 닭도리탕 만들어묵자~ 지금은 불앞에만 있어도 땀난다."

"네~ 어머님^^"

국민음식이자 해외에서도 인정받는 K-food가 된 치킨에 이어 닭도리탕도 그 명맥을 이어갈 수 있으면 좋겠다. 그리고 제사는 이제 정말 간소하게 지냈으면 좋겠다. 자손들이 한 자리에 모여 돌아가신 분을 떠올리며, 좋은 추억과 함께 한끼 조촐하게 먹는 자리 정도로.

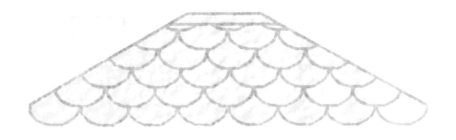

3장
라떼는 말이야~

칠팔월 닭은 눈깔도 파먹는다고?

- 닭들의 전성시대

어제 저녁 밥을 먹으며 평균 연령 80세이신 순천 할머니들이 내신 그림책 내용 가운데 '화난 시아버지'라는 제목으로 안안심 할머니의 글이 있다. 할머니 글의 내용 가운데, 시아버지 옷을 만들라고 시어머니가 시키셔서 손바느질로 옷을 만들어 놓고 소죽을 끓이는 데 소 풀을 먹이러 나가셨던 시어머니가 들어와 소여물에 닭똥을 싸났다고 집에서 뭐 했냐고 야단을 치셨다는 부분이 나와 궁금증이 일었다.

"근데 어쩌다 소여물에 닭똥이 있었을까요? "

"달구새끼가 소여물 훔쳐먹으려고 왔다가 똥 삐직 싸고 갔겠지~ 춘삼월 봄 되면 암탉들이 알을 서른 개쯤 품거든. 그중에서 열 개는 곯아서 곤달걀로 먹고.

그게 약으로 쓰인다고 함께."

"곤달걀은 술안주로도 포장마차에서 팔았다던데요? "

"옛날에야 먹을 게 귀한데다가 달걀은 원체 귀한 거라서 함부로 안 버렸응께 뭐가 됐든 먹었지야. 근디 그 서른 알 중에서 스무 개 정도는 뼁아리가 되서 태어나. 개나리꽃 물고 삐악삐악 오종종종 다니다가, 칠팔월 되면 중닭쯤 되야서 먹을 거 찾아 천지사방을 쫓아댕겨."

어릴 때 집에서 닭을 여러 마리 키워본 나도 어머님 말씀에 닭 쫓던 기억이 떠올랐다.

"그때쯤 되면 토방이고 부엌이고 돌아 댕기며 여기저기 똥을 싸질러서 쫓아내고 닭똥 닦고 그러느라 바빴어요. 그러니 복날 닭 잡아먹으면 속이 시원했다니까요."

"우리 땐 복날이라고 잡아먹기나 하간? 더 키워서 장에 내다 팔았지. 명절이나 되고, 사위나 와야 닭 잡지 아무때나 안 잡았어야. 암튼지간에 중닭이면 사람으로 치믄 청소년인께 한창 클 때라 얼마나 먹어대겠냐? 그래서 칠팔월 닭은 눈깔도 파먹는다는 말이 있단다. 먹을 거라면 사람 눈깔도 파먹는다고~ 그렇게 먹이 찾아 돌아 댕기다가 소여물 발견하면 얼씨구나 하고 가서 쪼아먹다가 누가 쫓은께 똥 삐직 싸고 도망갔겄지. 닭은 물똥이라 걸어댕김서도 싸고 도망감서도 싸고, 그냥 막 싸거든. 그뿐이게? 지금도 난 그 생각만 하면 웃음이 난다~"

"또 무슨 일이 있으셨어요? "

126

"칠팔월이면 여름이라 더울 때잖냐. 부엌에선 방 뜨거울까봐 아궁이에 불도 못 지피고, 한데다 솥 걸어놓고 밥을 했단마다. 밥 다 하고, 밥을 풀라고 하믄 집안에 있는 닭들이 밥솥 주변으로 삐~잉 둘러 선다? 한 스무 마리 둘러서서 언제 솥뚜껑 열고 밥 푸나~ 하고 고개를 쫑긋쫑긋하며 치다본당께. 영물이여 고것들이~ 글고는 내가 밥그릇에 밥 퍼서 놓기가 무섭게 그거 먹겠다고 달라드는디, 못 먹게 할라고 휘이휘이 쫓을 틈도 없어서 밥주걱으로 닭등짝을 딱 때려!"

"집에 형제들도 많으셨는데, 누구 닭 쫓아주는 사람이 없었어요? "

"쫓아줄 때도 있지만 나 혼자일 때도 많았지야. 쫓아줄 때도 손으로는 안 돼, 막대기로 해야지. 막대기 들고 와서 지키고 섰다가 막대기로 뚜드려대면서 쫓아야지 안 그럼 도망도 안 간당께. 근디 내가 밥 푸다가 막대기가 어딨냐? 긍께 급한 마음에 밥 푸던 주걱으로 닭등을 팍 쳐서 쫓는 거지. 그라믄 이것들이 맞아서 아픈께 꼬꼬댁거리면서 저만치 도망갔다가, 얼마 안 되서 다리 한짝을 질질 끌면서 삐짝삐짝 또 온다? 그러곤 내가 다른 놈 쫓는 사이에 방금 퍼놓은 밥을 후다닥 쪼아먹고는 또 뜨겁다고 땅바닥에 부리를 비벼대면서 쌩난리를 펴싸~ 솥에서 막 푼 밥인께 엄청 뜨겁거등. 허참 기가 맥히제~ 그 꼴이 얼매나 우습던지 지금 생각해도 웃음이 난당께."

어머님께서 말씀하시며 어찌나 생생하게 닭들이 밥주걱으로 등짝 맞고 도망치는 모습, 다리 끌면서 다시 오는 모습, 뜨겁다고 부리 땅바닥에 비비는 모습들을 재현해주시던지 배꼽 잡고 웃었다.

"닭들 하는 짓이 완전 코미디네요~ 푸하하하"

"그랑께 말이다. 생각할수록 코미디랑께~ 옛날엔 그러구 살았니라~"

죽느냐, 사느냐... 고기 앞에서

– 고기 알레르기라는 놈이 있지~

복숭아 알레르기 햇빛 알레르기 고양이 알레르기
는 흔히 들어봤겠지만 고기알레르기란 것도 있다.

"늙을수록 단백질을 잘 섭취해야 한단다~"

평소에 풀을 즐겨 드시고, 원체 소식을 하시는 편이라 고기
를 잘 드시지 않았는데 저 정보를 어디 건강프로그램에서 들
으신 뒤 내게 말씀하신 뒤로는 고기 요리를 하면 어머님께 많
이 드시라고 권해드리는 편이다.

오늘도 표고버섯이랑 양파랑 당근 왕창 넣이시 배까지 갈아
넣어 만든 돼지불고기를 저녁 반찬으로 올리며, 텃밭에서 따
온 쌈채들에다 팍팍 싸드시라고 했더니 이런 말씀을 하신다.

"내가 스물네 살까진 고기를 못 먹었단다."

"아니 어쩌다가요? "

"어렸을 때 고기 먹고 온몸에 두드러기가 나갖고
죽다 산 뒤론 고기 먹으면 죽는 줄 알았으니까~"

"에~ 그럴 수도 있어요? "

"거 뭐냐 고기 알레르기라고~ 그런 게 있었지."

"고기 알레르기요? "

"대여섯 살쯤엔가 마을에 대사 친 집에서 삶은 고기를 이바지로 보내왔는데, 그거 한 점 집어먹고선 온몸에 두드러기가 빨갛게 나지 않았겠냐? "

"그래서 어떻게 하셨는데요?

옛날엔 두드러기 약도 없었을 텐데..."

"약이 뭐여? 우리 할무니가 나를 칫간으로 데려가꼬 옷을 홀딱 벳기고는 칫간 쓰는 빗자루로 온몸을 훑어내리면서, 중도 괴기 먹는다냐? 중도 괴기 먹는다냐? 그렇게 몇 번 말씀하신 뒤에 옷 입혀 내보내니까 싹 나았지!"

이 무슨 전설 따라 삼천리 같은 말씀인지~ 암튼 그렇게 해서 그 뒤론 고기를 일절 드시지 않다가, 24세가 되어서야 고기에 입문하신 계기가 또 어느 집에서 대사 치고 들어온 고기 덕분이었다. 그날은 바로 아래 여동생과 둘이서 그 고기를 한 점씩 먹고 뒷방에 나란히 누워선

"우리가 이 고기를 먹고 죽나, 안 죽나 보자."

그러고 있었는데 아무리 지나도 두드러기도 안 나고, 죽지도 않아서 그 뒤로부터 고기를 드시기 시작했단다.

내 친구 하나는 어릴 때부터 고기를 통 먹어본 역사가 없어서 결혼해 애 둘을 낳은 뒤로도 고기를 잘 먹지 못했다. 고기 특유의 냄새가 역해서 먹을 수가 없다나? 마흔 넘은 지금에서야 겨우 조금씩 먹게 됐다. 고기도 먹어본 놈이 먹는다고, 자꾸 안 먹으면 못 먹게 된다는 걸 이 친구 통해서 알게 됐다.

우리 집은 남편도 딸도 아들도 고기 요리를 즐기는 편이라 덕분에 엥겔지수가 꽤 높다. 고기는 좀 덜 먹어도 잘 크고 잘 사는데, 고기 알레르기가 뒤늦게 발현하는 일은 안 생기려나? ^^;

옥새기? 옥쪼시!

- 사투리의 발견

어머님과의 점심은 있는 대로 먹는 편이다. 떡이 있으면 떡을 먹고, 빵이 있으면 빵을 먹고, 감자나 고구마가 있으면 쪄 먹고, 국수를 삶기도 한다. 오늘 점심으로 삶은 옥수수를 먹다 보니 옥수수에 관한 이야기가 꼬리에 꼬리를 문다.

"전에는 옥수수 알멩이가 이렇게 꽉 차기가 힘들어서, 옥수수 심을 땐 알멩이 꽉꽉 차라고 입에다 찹쌀을 한모금 머금고 옥수수 알을 심었단다."

"왜 하필 찹쌀이래요?"

"찹쌀이 멥쌀보다 좋응께 그러겄지~"

"어머님도 그렇게 하시고 옥수수 심으셨어요?"

"아아니~, 우리 엄마가 그러셨지!"

"그럼 그렇게 찹쌀 물고 옥수수 심으면 옥수수 알멩이가 실하게 꽉꽉 찼어요?"

"무슨~ 그냥 말이 그렇단 거지~"

참 옛날 어르신들은 동심들이 살아 있으셨다. 한다고 해서 꼭 그렇게 되리란 보장이 없어도 옛날부터 그렇게 하는 거란 다~ 하면 일단 어른말씀대로 따르고 본다. 새벽마다 정화수를 떠놓고 천지신명께 비는 것도, 푸세식 뒷간에서 일보다 똥통 에 빠진 아이가 똥독 오르지 않게 뒷간귀신에게 똥떡을 만들 어서 갖다 바치는 것도, 동지에 야광귀신이 신발 가져가지 않 게 채를 간짓대에 꽂아 집앞에 두는 것도...

상식적으로는 절대 통할 리 없는 비과학적이며, 말도 안 되 는 일들을 단지 믿음만으로 묵묵히 따라하신다. 그리고 그 결 과를 받아들인다. 어쩌면 그 천진한 믿음이 어떤 고생도 묵묵 히 견디고 살아내신 우리 조상들의 강력한 힘의 원천이 아닐 까 생각해본다.

잠시 옥수수를 먹다 딴생각에 빠져있자니 어머님께서 옥수 수를 한알 한알 발라 드시다 말씀을 이으신다.

"옛날에 한 번은 나라에서 옥수수 씨앗을 나눠준다고 해서 받아왔더니 그게 미국산 사료 옥수수 씨앗이더라. 크기는 일 반 옥수수알보다 곱절은 큰데, 막상 심어서 키워 가지고 꺾어 다 먹어보니 어찌나 맛이 없던지~ 그래서 그냥은 못 먹고 가 루 내서 먹었단다."

"그 옥수수 가루로 전 부쳐서 먹었겠네요? "

"전? 옛날에 후라이팬이 어디 있냐? 후라이팬이 있어야 전을 부쳐 먹지! 후라이팬도 없어서 솥뚜껑 쓰던 시절이었단다. 호미에서 손잡이 자루 빼가지고 흙마당에 거꾸로 박아놓고, 응 그래 세 개는 박아야 솥이 안 자빠지지. 그 위에다 가마솥 뚜껑 뒤집어서 걸쳐놓아야 후라이팬 대용이 됐더란다.

마을에서 대사라도 칠라면, 집집마다 솥뚜껑 하나씩 들고 와서 그렇게 마당에 걸쳐놓고 돼지비계로 쓱쓱 문질러서 전을 부쳤지. 그 기름냄새가 얼마나 꼬순지 침이 꼴딱꼴딱 넘어갔는데, 요새는 어째 그런 맛도 없어. 지금 생각하면 그게 다 기름뎅이인데, 그걸 솥에다 문지르면 참 맛있는 냄새가 났어.

봄에 밀농사 지어서 나온 밀가루를 물에다 반죽해가꼬 부추 잎 몇 장만 올려서 부쳐도 어찌나 향기롭고 맛났나 몰라. 지금은 그렇게 해놓으면 맛없다고 안 묵겠지? "

"어머 밀가루를 직접 농사 지은 밀로 만들었다구요? 그때는 다 수입밀가루 쓴 거 아니에요? "

"아니여~ 나 어릴 때만 해도 집집마다 자기네 먹을 밀농사는 다 지어서 추수하면, 방앗간에 가져가서 밀가루로 만들어와서 1년 내 놓고 먹었어야. 수입밀가루는 한참 뒤에나 풀렸지. 그 수입밀가루가 하두 싸서 그거 때문에 밀농사 쪼만쪼만

짓던 사람들도 다 그만 뒀지. 우리 밀가루가 참 고소하니 맛났는디"

일제 시대 이후 해방되면서 미국에서 푼 밀가루 때문에 우리나라 밀농사는 진즉에 다 그만 둔지 알았는데, 60년대까지만 해도 우리밀 농사를 짓는 집들이 많았다는 사실을 알게 되었다.

"근디 말이다. 그렇게 대사 치고 나면, 까매진 솥뚜껑 닦는 게 얼마나 일이었는지 아냐? 지금처럼 수세미가 있길 해~ 퐁퐁이가 있길 해~ 물이 펑펑 나오길 해~ 냇갈에 솥뚜껑 들고 가서 지푸라기 뭉친 것에다 재 묻혀서 한참을 뿍뿍 문질러서 그을음들 없어질 때까지 하느라 애먹었지야."

"솥뚜껑에다 전 부쳐 먹은 거 저도 어릴 때 기억나요. 우린 부뚜막에 걸쳐놓고 했던 거 같은데, 거기다 전 부치면 진짜 맛있었어요~ 근데 후라이팬이 60년대에도 없었다니 놀랍네요~ "

"후라이팬이 언제 나온지 아냐? 내가 시집 가서 얼마 안 됐을 때니까 70년쯤이었나~ 니 시아버지 자리가 시장에서 후라이팬이라고 하나 사왔더라. 근디 요새같은 스테인레스도 아니고, 그냥 쇠로 된 후라이팬을 사온 거라. 뭔 녹이 잔뜩 끼어서, 내가 그거 녹 베끼고 하얗게 광내느라 얼마나 고생했는

지~ 날이면 날마다 시간 날 때마다 껴안고 문질러서 후라이
팬 바닥이 하얘지도록 문질렀단다"

"에고~ 그때 어머님 어깨가 나가셨구만요."

작년에 오른쪽 어깨를 거의 못 쓰시게 되어 어깨수술을 하
시게 됐는데, MRI를 찍어보니 어깨를 잡아주는 근육들이 여기
저기 찢어져 있었다. 처음엔 두 개 정도였는데, 막상 수술하려
고 보니 봉합해야 할 근육들이 더 늘어나서 수술 시간도 길어
지고, 회복하시는 기간도 엄청 걸렸더랬다. 그 원흉이 녹이 덕
지덕지 낀 후라이팬이었다니!

여름 농번기에 영암 시골집 일손을 도와드리러 가면 시할머
니 하시는 말씀이

"쩌어그 밭에 가서 옥포시 몇 게 끊이온니!"

그렇게 옥수수 따다가 점심으로 드시곤 했단다.

전라도 사투리로 옥수수가 옥쪼시였나?

그럼 옥새기는 어디 사투리지?

지난 번 아파트 공동구매로 산 옥수수들을 삶아서 냉동실에
넣어두고, 슬금슬금 꺼내먹다가 오늘로 다 되서 새로 옥수수
좀 사야겠다 하던 참에 아파트 관리소장님 친구분한테서 그

옥수수를 샀다던 게 떠올라 전화를 드렸다. 언제 또 옥수수 공구 안 하시냐고~ 그랬더니 마침 오늘 그 친구네가 또 옥수수를 따서 자루에 넣고 있다니 시간 되면 같이 옥수수나 가지러 가자신다. 그래서 룰루랄라 따라나섰다가 생각지도 않게 옥수수 한 자루를 꽁으로 얻었다! 지난번에 맛있게 먹었다니 고맙다시면서 그냥 30개들이 한 자루를 똬악 주셨다~ 와우! 올해로 38년차 농부라는 그분 덕분에 또 한동안 맛있는 옥수수로 점심을 대신할 수 있겠다. 그런데 그분이 찐한 믹스커피를 자판기에서 빼주시며 하시는 말씀이,

"이 옥새기 씨앗을 올해 처음 심어 보는디, 이게 딴 종자랑 달라서 한 번 익기 시작하면 아주 순식간에 익어버리드라니께~ 아침에 까만 거 한두 알 보이기 시작하면 오후에는 몽땅 다 까매져서 금방 쇠부러. 후다닥 안 따면 안 되겄드랑께. 그래두 맛은 최고로 좋을 거니께 함 드셔보셔~"

덕분에 맛있게 잘 먹겠습니다~ 농부님!

옥새기는 충청도 사투리, 옥쪼시는 전라도 사투리였다^^

재봉틀의 귀환

– 봉트리는 무서워

"이야~ 저 할아버지 눈도 좋네. 여든다섯에

맨눈으로 바늘구녁에 실을 넣고!"

무슨 말씀인가 하고 TV를 보니, 6시 내 고향 '고향 노포'에 나온 할아버지 얘기다. 양복점에, 점방에, 신문지국까지 겸한 가게 한쪽 오래된 재봉틀의 바늘구멍에 실을 꿰고 있는 할아버지는 올해 85세가 되셨다는데 , 평생 양복쟁이로 살아오시며 지금도 재봉틀로 옷을 만들고 계셨다. 그런데 방송에 나온 재봉틀이 내 어릴 적 집에 있었던 'DRESS'라고 쓰여진 물건이었다. 의자에 앉아 발로 페달을 밟아가며 재봉질을 해야 하는.

"어, 저 재봉틀 집에도 있었는데~"

하니, 어머님께서 고개를 끄덕이시며

"저 재봉틀이 유명했지야. 나도 저걸로 옷 많이 만들었다~" 하신다.

"그럼 어머님도 저 재봉틀로 처음 재봉질하신 거예요? "

"아니~ 저거 나오기 전에 손으로 돌리는 미싱이 있었는디,

그거 먼저 썼지. 오른손으로 돌리고, 왼손으로 밀면서 재봉질 하다가 나중에 페달로 밟는 게 나온께 그걸로 바꿨지."

"그럼 지금 쓰시는 전자동 미싱은 언제 사신 거예요? "

"그건 00이(큰시누이) 시집갈 때 개가 사주고 갔지~"

"엥? 예전엔 딸이 시집갈 때 혼수로 미싱 해서 보내주지 않았어요? 어머님은 꺼꾸로 받으셨네요? "

"그랑께 말이다. 아마 그 짝 안사돈이 집에 사놓고 안 쓰는 거 있다고 갖다 쓰라고 해서, 00이가 산 거를 나 주고 갔을 걸~"(나중에 기억을 다시 더듬어보시더니, 아가씨 결혼 전에 어머님 쓰시던 발 달린 미싱을 이사하며 버리시게 돼서 아가 씨가 사줬다고 하심)

"이·· 그렇게 된 거였군요. 덕분에 우리 집에서 요긴하게 잘 쓰네요^^"

난 어릴 때 재봉틀 갖고 놀다가 재봉 바늘이 엄지손톱 가운 데를 정확히 관통한 뒤로 재봉틀 무서워서 근처에 얼씬도 안 한다. 전자동 미싱이라도 봉트리는 봉트린지라 접근 엄금이다. 그래서 재봉질할 일이 생기면 늘 어머님께 부탁하곤 한다. 이 러니 내가 불량며느리지~^^;;

마스크가 일상의 필수용품이 되면서 천으로 수제 마스크를 만들어 쓰는 사람이 많아지고 있다. 마스크 안에 정전기 방지용 부직포 필터를 넣으면 비말 입자 85% 차단 효과가 있다니 어지간한 KF85 마스크 정도의 역할을 하는 셈이고, 일회용과 달리 빨아서 필터만 바꿔 넣으면 반영구적으로 쓸 수 있어 친환경적이고 경제적이다. 재봉틀을 쓸 수 있고, 마스크 만들 재료가 있다면 도전해볼 만하다. 재봉틀 만질 엄두를 못 내는 난 그저 먼산을 볼 따름이지만...

울 어머님의 뼈 있는 한 말씀.

"이 다음에 나미니를 바느질 가르쳐서

나미니한테 저 미싱을 물려줘야재~"

"우혜혜~ 아마 그게 더 빠를 거예요~^^"

이러며 웃는 나는 참 대책 없는 며느리다.

* 덤으로 재봉틀의 역사를 살펴보실게요^^

재봉틀은 천, 가죽, 종이, 비닐 등을 실로 엮는 데 사용되는 기계이다. 영어로는 소잉 머신(sewing machine)이고, 일본에서는 미싱(ミシン)으로 불린다. 소잉 머신이 일본에 전해지면서 뒷부분인 '머신'이 변하여 '미싱'이 되었다는 설이 유력하다. 최초의 실용적인 재봉틀은 1829년에 등장했지만, 오늘날

과 같이 두 가닥의 실로 바느질을 하는 재봉틀은 1846년에 하우에 의해 발명되었다. 1851년 싱어는 하우의 재봉틀을 개량한 후 마케팅 기법과 생산체계를 선진화하여 미국의 재봉틀 산업을 일구었다. 우리나라는 1877년에 재봉틀이 처음 도입되었으며,(당시 미국의 싱거미싱이 일본을 통해 들어왔는데, 토지를 쓰신 박경리 선생님이 생전에 가장 아끼던 물건 중 하나가 바로 이 싱거미싱이었다고 한다)1960년대 중반부터 대중화되었다.

재봉용 기계가 우리나라에서 재봉기(裁縫機)가 아닌 재봉틀로 불리게 된 이유는 도입 당시 재봉용 기계의 기능이 베 '틀'과 비슷하다고 간주되었기 때문에 재봉 '틀'이라는 이름이 붙여졌다고 한다. 우리나라에서 재봉틀은 오랫동안 집안의 가보처럼 사용되다가 1965년에 출시된 부라더 미싱부터 대중화되었다.(브라더미싱은 1961년 창립해 2020년인 올해 창립 60주년이 되었다고 한다) 부라더 미싱은 부산 정기 주식회사가 일본의 부라더 공업과 합작하여 생산한 재봉틀이었다. "꽃님이 시집갈 때 부라더 미싱"은 1970년대에 유행했던 광고 카피였다. 지금은 격세지감이 느껴지지만, 1970년대만 해도 재봉틀은 혼수품 목록 1호였다.

소갈비와 팔만이

– 나무하러 가세~

날이 건조하다 보니 전국 곳곳에서 산불 소식이 들려온다. 양양 산불처럼 규모가 큰 산불은 아니지만 가을 추수 뒤에 나온 부산물들을 태우는 농가들이 많다 보니, 불티가 무려 2km까지 날아가서 근처 산에 불씨를 옮겨 불나는 경우가 많다고 한다. 다행히 초동대처를 잘해서 큰 불로 번지진 않았지만 '방귀 자꾸 뀌면 똥 싼다'고 이렇게 작은 불들을 조심하지 않으면 결국 큰 불로 번지기 마련이다. 어제도 화재 소식을 티비 뉴스로 틀으시며 어머님께서 한 마디 하신다.

"예전에는 산에 낙엽이 쌓이기 무섭게 나무들을 해서 저라고 불날 일도 없었는디~ 요즘엔 누가 나무를 하냐? 산에 나무가 천지삐까리여도~"

"전에도 산불이야 종종 났지만, 그땐 사람들이 하두 산에 가서 바닥에 깔린 낙엽이며, 나뭇가지에 있는 삭정이며 싹싹 긁어오니 불티 좀 날아간다고 불이 날 일은 없었을 거 같아요. 게다가 옛날엔 추수 끝나고 나온 콩대 옥수수대 깻대 고춧

대~ 다 나무청에 넣었다가 불 땔 때 썼잖아요. 지금처럼 따로 안 태우고."

"그랬재. 저라고 따로 태울 일이 없었니라. 추수 끝나면 고것들 싹 나무청에 갈무리해놓고, 산에 나무하러 댕기느라 바빴재."

나무하러 댕기는 것이라면 나도 할 말이 많다. 어릴 때 엄마가 밭농사를 많이 지으셔서, 봄부터 가을까진 밭일 도와드리느라 바빴고, 겨울엔 이 산 저 산 나무하러 댕기느라 바빴다. 갈퀴랑 낫이랑 새끼줄 한 동가리가 담긴 리어카를 엄마랑 사남매가 밀고 끌고 가까운 산으로 가서 나무를 했다. 우리 땐 나무한다고 좇아오는 산주인이나 산지기가 있지는 않아서 주인한테 걸릴까 봐 조마조마하며 나무를 하지는 않았다. 다만 양심적으로 몽창 다 긁어오진 않았고, 이 산 저 산 가서 적당히 해오는 정도였다.

우선 갈퀴로 바닥에 깔린 소갈비(소나무에서 떨어진 갈색 솔잎, 소나무 갈비)를 싹싹 긁어서 모은다. 어지간히 갈비가 모아지면 이제 낫으로 삭정이가 된 나뭇가지들을 쳐내서 갈비와 함께 나무둥치를 원통형으로 만들어서 새끼줄로 꽁꽁 둘러 묶는다. 이렇게 나무둥치가 서너 개쯤 모이면 머리에 이거나

끙끙대며 동생들이랑 맞잡고서 산 아래 대어둔 리어카까지 걸어간다. 리어카에 가득 실리면 이제 또 끌고 밀고하며 집으로 간다. 아빠가 도와주셨으면 리어카 없이 지게로 져서 날라주셨을지도 모르지만, 아빠는 한 번도 나무하는 일을 도와주시지 않았다. 아마도 아빠가 출근하신 낮 시간에 해야 했기 때문이었겠지만 지금 생각해도 미스테리다. 왜 안 도와주셨을까? 이 얘길 어머님께 해드렸더니,

"우리 아부지도 나무하는 거는 안 도와주셨어야.

내가 주로 했재."

"온 식구 다 해도 힘든 일을 어머님 혼자서 다 하셨다구요? 위에 오빠도 계시고, 언니도 계시고, 아래로 동생들도 줄줄이 있으신데요? "

"그라믄 뭐하냐? 언니는 나랑 열 살 차이라 내가 열한 살 때 시집가셨고, 오빠는 중학교 졸업하고선 쭉 타지에서 학교 다니다 직장 다니셨고, 아래 동생들 가운데 영광 이모는 원래 집에서 꼼지락꼼지락 하는 일만 하재 어디 밖에 나가서 하는 일은 못 하고, 밑에 두 동생들은 너무 어렸응께."

"그럼 하루 종일 혼자 산에 가서 나무하신 거예요? "

"무슨? 동네에 나무하러 같이 댕기는 사람들이 있었재.

148

아침 묵고 나픈 아야~ 나무하러 가자~~ 하고 설 밖에서 불러. 그람 후딱 갈쿠랑 낮이랑 챙겨가꼬 나가재. 오늘은 어디 산으로 가보자~ 함서 의논을 해가꼬 산에 가서 열심히 나무를 해설랑 머리에다 이고 오고 그랬재. 쩌그 월출산 바로 아래 있는 산까지도 가봤다."

　"힘드셨겠어요~"

　"일이야 심들었어도 같이 가는 사람들이랑 오고 가며 얘기하는 것이 재미지고, 산에서 해온 나무들이 나무청에 그득 쌓이면 부자 된 거 같고 그래서 오지더라. 참 아부지가 딱 하나 해주시는 것이 나무청에 나무 올리고 내리고 하는 거였다. 그거 하나는 해주시더라~."

　"외할아버지는 도대체 무슨 일을 하신 거예요? "

　"아버지야 장구 치고 북 치면서 노는 게 일이셨재. 남들은 독립운동하러 만주에 가던 시절에도 장구랑 북이랑 어깨에 짊어지고서 팔도 유람하며 만주까지 놀러 가신 양반이었응께. 집에 계신 날이 별로 없었지만, 그나마 계실 때도 어무이는 하루종일 허리도 못 펴고 일하시고 계셔도, 아부지는 방에 누워계시다가 앉아계시다가 밥상 들어오면 드시는 게 전부였어야. 하다못해 쇠꼴 비고, 쇠죽 끓이는 일도 내가 다 했재 한

번도 안 해주셨당께. 장에서 송아지 사 오시고, 송아지 다 크
믄 내다 파시는 일만 아부지가 하셨재"

"와~ 진짜 너무 하셨네요. 그럼 그렇게 열심히 소 키워 팔
아서 어디에다 쓰셨대요? "

"나야 모르재. 한 번은 소 판 돈을 산 아래 판잣집 짓고 살
던 동네 사람이 빌려달라고 해서 앞뒤 안 재고 냉큼 빌려줬다
가 며칠 뒤에 야반도주해서 홀랑 날린 일도 있었단다. 얼마
나~ 한참 뒤에 아부지가 광주에서 그 사람을 딱 마주쳐서 돈
받을라고 집에까지 따라가 봤더니, 사는 꼴이 하두 엉망이길
래 걍 나오셨다고 하드라. 그 사람 이름 아직도 기억한다. 성
은 모르겄고 팔만이었재~"

우연의 일치런가!

그때 마침 '6시 내고향'에서 시골 사는 노부부의 사연이 흘
러나오는데, 농사짓고 소 키우고 하는 모든 일은 할머니 혼자
서 하시고, 할아버지는 평생 니나노~ 하며 노는 게 일이신데
그 할아버지 성함이 최팔만이더라는~ >.<

나의 예쁜 오재미

- 가을운동회 추억

더운 여름이 가고 살랑살랑 시원한 바람이 불어오는 계절, 들녘에서 거둬들인 게 많아 먹을 것도 풍부한 10월은 딱 놀기 좋은 때다. 그래서 온갖 야유회와 가을 축제와 학 교운동회가 잡혀있는 때가 10월이다. 아니 그랬다. 올해 코로나 때문에 대부분의 야외행사가 다 취소되지만 않았다면 아마 올 10월도 학교 운동장이나 너른 공원엔 북적이는 인파와 호루라기 소리로 시끌벅쩍했을 것이다.

어머님과 고구마 줄기 껍질을 까며 나눈 대화 중에 학교 운동회 때가 되면 각자 집에서 만들어가던 오재미 이야기가 나왔다. 오재미는 '오자미'의 방언으로 헝겊 주머니에 콩 따위를 넣고 꿰매서 공 모양으로 만든 것을 이른다. 흔히 콩주머니라고 부르기도 한다.

"우리 엄마가 솜씨가 좋으셔서 딴 거는 다 만들어주셨는디, 오재미는 어째 못 만드셔서 학교 댕김시롱 운동회 한다고 오재미 만들어오나~ 하고 선생님이 숙제 내주시믄 내가 다 만들어갔지야."

"어머님 아래 동생들 꺼도 다 만들어주셨겠네요? "

"그랬재. 학교에서 만들어오라고 할 때마다 내가 다 해줬응께. 학교 가서 운동회날 함지박에 모여있는 오재미를 보믄 내가 만든 것이 젤로 이쁘더라. 누구는 네모나게 만들어오고, 누구는 듬성듬성 바느질해서 금방 터질 것 같고, 누구는 후줄근하니 만들어서, 모양이 다 제각각인디 내가 만든 거는 한눈에도 딱 각이 잡혀서 빵빵하니 이뻐서 눈에 뜨였재."

"그때도 콩 넣어서 만드셨어요? 저 때는 노란 콩이나

팥 같은 거 넣었거든요."

"원래는 오재미를 팥주머니라고 불렀니라. 긍께 팥을 넣어야 맞는디 우리 때는 콩도 넣고, 보리도 넣고, 쌀도 넣고 그랬다만 그때는 우리 집이 콩이고 보리고 쌀이고 먹고 살 양식도 부족한디 오재미 속에 그런 걸 넣겄냐? 집 앞 냇갈 옆에 무더기로 쌓여있는 모래 퍼다가 넣어서 만들었재."

"아마 요즘 나오는 오재미는 모래 넣어서 만들 걸요? 앞서가셨네요~ 어머님이^^"

(찾아보니 모래를 넣으면 모래주머니, 콩을 넣으면 콩주머니라고 부른다. 속에 무엇을 넣든지 '오자미'라고 부르는 것은

동일하다.)

"오재미로 큰 박 터트리기가 운동회 제일 끝에 하는 거라 청군 백군 나눠서 응원도 아주 불나게 했재. 난 그 청군 백군 띠도 직접 만들어서 머리에 묶었지야. 오재미는 매년 새로 만들었는디, 청군 백군 띠는 앞뒤로 청백색 띠를 만들어서 교대로 바꿔가며 썼제. 학년별로 반별로 청군 백군이 달랐응께."

"시골에서 운동회 하면 식구들, 동네 사람들 다 와서 구경하고 재밌었는데. 저 어릴 때는 차가 없으니까 경운기에 우르르 타고도 오시고, 자전거나 오토바이도 타고 오시고, 머리에 이고 두 손에 바리바리 먹을 거 싸 들고 걸어서 오시는 분들이 많았죠. 그렇게 오셔서 하루 종일 먹고 놀고 마시고 그랬는데~"

"학교 운동회 하믄 동네잔치나 진배없었재~ 그래도 일이 바쁘믄 못 가기도 하고 그랬어야. 한창 가을걷이할 때라 먼저 할 일이 있으믄 어쩔 수 없었재. 아무리 그래도 운동회 날은 일할 사람 모으기도 어려운께 어지간하믄 다들 갔지야. 햇찹쌀로 밥하고, 햇깨 볶아서 깨소금도 만들고, 밤도 삶고 해서 석작에 넣어서 이고들 갔재. 그란디 우리 엄마는 한 번도 운동회 못 와봤어야. 할머니가 늘상 오셨재. 생각하믄 할머니도 참 나쁘셨재. 자식들 운동회 하믄 보고자플 것인디 여섯을 학교 보냄시롱 한 번도 못 가보셨당께. 집에서 일만 하시느라."

"에궁 할머님도 너무하셨네요. 자식들도 할머니보단 엄마가 구경오시는 게 더 좋았을 텐데..."

"그랑께 말이다. 운동회뿐만 아니여. 밖에 나가는 일은 할머니가 다 하셨어야. 장 보러 다니는 것도 할머니가 머리에 뭐 이는 거 힘들어서 못 가실 때까지 엄마는 가보도 못했재. 하여간 요즘에야 듣도 보도 못한 축제가 많지만 그땐 축제랄 게 학교 운동회밖에 더 있겠냐? 가믄 좋은 귀경도 하고, 애들 가르치는 선생님도 만나고, 먼 동네 사람들까지 한군에 다 봉께 운동회 한다고 하믄 다 보러 갔재."

"맞아요~ 그랬어요. 진짜! 봄 가을 운동회 때마다 온 마을이 들썩들썩했겠어요~^^"

"아녀~ 우리는 가을에만 운동회를 했어야. 봄에는 할 일이 너무 많아서 그랑가 안 하더라~"

- "청군 이겨라! 백군 이겨라!"

목청 터지게 응원하며 운동회의 피날레를 장식하던 큰박 터트리기. 아이들이 두 손에 오재미 하나씩을 들고 우~~~하니 커다란 상대편 박 아래 몰려가서 던지다 보면, 박은 못 맞추고 엉뚱하게 반대편에 있는 아이 얼굴을 맞춰서 눈탱이 밤탱이가 되는 경우도 종종 있었더랬다.

요즘엔 실버대학이나 치매예방센터 같은 곳에서 직접 오재미를 만들어 할머니 할아버지들께서 소싯적 기억을 떠올리며 박 터트리기 놀이를 즐겁게 하신다고도 한다.

만국기 펄럭이는 운동장 가득 울려 퍼지던 함성과 신나는 웃음소리, 솜사탕이나 엿, 아이스크림, 병아리를 팔러 온 노점상들, 나무 그늘 아래 옹기종기 둘러앉아서 먹던 점심, 한 달 동안 방과 후나 심지어 수업 시간까지 빼가며 열심히 준비한 각종 율동과 부채춤, 마임, 차전놀이, 강강술래 등을 선보이기도 했던... 온 동네 축제장이었던 학교 운동회가 그립다. 지금은 많이 간소화되고, 점심도 학교급식으로 대체하긴 하지만 그래도 마을 사람들 오랜만에 만날 수 있는 자리가 학교 운동회인데 그나마 코로나 여파로 아예 열리질 않으니 더더욱 그립다. 내년엔 들썩들썩 신나는 그 풍경을 다시 볼 수 있을까?